日常を拓く知

古典を読む 4

ゆたかさ

神戸女学院大学文学部総合文化学科 監修
栗山圭子 編

神戸女学院大学総文教育叢書

世界思想社

日常を拓く知　古典を読む

シリーズ〈日常を拓く知〉は、「学ぶこと」と「生きること」が分離しかねない今日の状況に対して、その二つを結びあわせる手引きでありたいという思いから創刊されました。これまで、「知る・学ぶ」「恋する」「伝える」「食べる」「旅する」「支える」といった日常的な営みを取り上げ、その役割や意味、歴史を考えてきました。第二弾となる本シリーズは、〈古典〉を手がかりに「生きること」を考えます。それは、「大学の人文・社会系の学問が何の役に立つの？」と問う姿勢を、再考するきっかけとなることでしょう。

〈古典〉と聞くと、それだけで、高校の古典の授業を思い出してしまう人も多いかもしれませんが、ここでいう〈古典〉とは、単に『源氏物語』や『平家物語』のような、古い文学を指すものではありませんし、「古典芸能」や「古典落語」のような古い文化を意味しているわけでもありません。本シリーズでは〈古典〉を、次のような二つの視座からとらえています。

ひとつは、「時間」という重みに耐え、また国や地域などの「場所」の制約を乗り越えてきた作品という意味です。ベストセラーといわれても、数年も待たず忘れ去られていく作品は多くあります。ある社会では理解されても、ちがう社会ではまったく理解も共感も得られない作品もあります。〈古典〉と呼ばれる作品、あるいは〈古典〉になる作品とは、こうした「時間」や「場所」を超えて多くの読者の心をとらえ、その価値が見いだされ、〈知〉を与えつづけていくものです。

もうひとつは、私たちの思考枠組みを変え、「常識」への問いなおしを促してきた「知の源泉」ともいうべき側面です。こうした〈古典〉は、隠されていた社会の問題を浮かび上がらせ、時代の精神性をつかみ取り、これまでの物事の見方を大きく変えるターニングポイントを築いてきました。

現代の私たちはすぐに「役に立つ」ことを求め、わかりやすい「成果」を得るためだけに学んではいないでしょうか。でもそのような学びが通用する範囲は思った以上に狭いものです。悠久の時間や、思考の転換点を感じさせる〈古典〉を前にするとき、目の前にある状況に対してすぐに「役に立つ」ものが、いかにはかないものであったかを感じざるをえません。

資格や技能という、すでにあるものさしや指標のみを重要視する社会は、はたしてあなたの個別性を認めてくれる「やさしさ」を備えているでしょうか。さらに規格化された学びは、変容していく社会を生きていくうえでの「つよさ」を養い、あなたが感じている「さびしさ」に応えるものになるでしょうか。そして、目に見える成果ばかりを求める社会は、はたして「ゆたか」で、「うつくしい」ものなのでしょうか。

本シリーズは、大学で学ぼうとしている人、知的に学びつづける社会人にも読んでもらいたいと思っています。みなさんがあふれ出す知の泉を掘り当てて、深い学びへ誘われることを願っています。

「日常を拓く知　古典を読む」編集委員

奥野佐矢子　景山佳代子　北川将之
栗山圭子　笹尾佳代

はじめに

『福富草紙』という室町時代の絵巻物があります。貧乏暮らしの高向秀武《たかむこのひでたけ》という人物が「おなら」の妙技で富を蓄え、それをうらやんだ隣人の福富が秀武に教えを請うものの、だまされて大失敗するというなんとも滑稽なお話です。当初、秀武とその妻は、何の家財道具もない粗末な部屋で、たった一枚の布をまとって寝ていました。しかし、おなら芸の成功以降は、夫婦それぞれが豪勢な衣をかぶって悠然と寝そべっている姿が、対照的に描かれています。壁にかけられた見事な衣装の数々、床の間に飾られた舶来の鉢や茶碗、たっぷりと盛られた果物が、夫婦の「ゆたかさ」を象徴しています。より多くの、より希少性の高い文物を所持することは誰にでも可能だったわけではなく、それゆえに「もの」は所持する人の権威を示すことにつながりました。

私たちは長く「もののゆたかさ」を追求してきました。高度経済成長期における洗濯機・白黒テレビ・冷蔵庫のいわゆる「三種の神器」をはじめとして、マイカーやマイホーム、海外ブランド品をこぞって手に入れようとしてきました。国の「ゆたかさ」をはかる指標であるＧＤＰ（国内総生産）は一時アメリカに次ぐ世界第二位（現在は第三位）となり、日本は世界有数の経済大国となりました。

しかし、「心の豊かさか、物の豊かさか」という問い（内閣府「国民生活に関する世論調査」）にもあるように、一九八〇年代以降は、個々の内面充足を求める傾向が強まっています。昨今の断捨離やミニマリストなどの流行が示すように、「もの」をもたないことのほうがむしろ「ゆたか」であるとみなされるようにもなっています。

そして、バブル経済の崩壊と長く続く不況を経たいま、かつては多くの人が実感できていた「人並みのゆたかな暮らし」を実現し、維持できる状況が失われるようになっています。大多数の国民が自分の生活水準を中流であると考える「一億総中流」という言葉は死語となり、格差社会が進展した結果、「下流老人」や「シングルマザーの貧困」などのニュースが日々話題にのぼるようになりました。いまみなさんは「ゆたかさ」を感じることができているでしょうか。いま私たちが生きている社会は、はたして「ゆたか」な社会なのでしょうか。

何をもって「ゆたか」とみなすかという価値観は、時代や状況によって変わります。

「ゆたかさとは何か」にせまるための切り口はひとつではありません。〈古典〉を手がかりに日常を再考するシリーズ第４巻の本書では、「ゆたかさ」について多角的に考えることをめざします。

対話形式をとる第Ⅰ部では、資本主義社会で富が生み出されるからくりと、その仕組みが、過労死やブラックバイトなどの現代の日本社会における諸問題とつながっていることが明らかにされます。その上で、それらの問題を解決し、より「ゆたか」な社会に改善していく道のりが展望されています。

第Ⅱ部のエッセイでは、異なる分野から「ゆたかさ」について考えていきます。

日本古典文学のエッセイでは、ミニマリストの大先達《だいせんだつ》である鴨長明が著したまさに古典中の古典が紹介されます。打ち続く戦乱と自然災害を目の当たりにし、また長い不遇の果てに彼がたどり着いたのは、何者にも揺るがされることのない、自分自身の「ゆたかさ」でした。〈古典〉には時を超えた普遍的な価値が示されていることにあらためて気づかされるエッセイです。

西洋美術史のエッセイでは、芸術のもつ「ゆたかさ」とはどのようなものなのかについて、解きほぐしていきます。芸術とは何か、また、文学や音楽とは異なる美術の独自性はどこにあるのかについての見方が紹介され、美術の「ゆたかさ」にせまるためには、実際にその作品を「見る」こと、色彩や線に目を向けることが提案されています。

東アジアの歴史のエッセイでは、中国の「科挙」について論じた文献から、富と名声が約束された官僚になるために、人びとが受験戦争に狂奔するさまが紹介されます。同時に、「ゆたかさ」への道をつかみそこねた大量の落第者たちが、一方で硬直した社会構造を流動化させ、その学識を発揮して、地域社会に「ゆたかさ」をもたらした事実が明らかにされています。

社会学のエッセイでは、「ゆたかさ」を追求する高度経済成長期のさなかに発生した水俣病に正面から立ち向かい、寄り添い続けた石牟礼道子氏の名著が紹介されます。水俣に生きる被害者たちの豊穣な言葉と、エリートの画一化された冷たい言葉を対照させる視点から、患者とその家族たちの苦悩や人間の尊厳を描く〈古典〉にせまっていきます。読了後、この作品で描かれている世界は、決していまを生きる私たちと遠く離れた地平にあるのではないことに気づくでしょう。

各エッセイの末尾には、関連する古典のブックガイドが付いています。それぞれの本は、神戸女学院大学文学部総合文化学科の教員が推薦するものです。そこで紹介された古典をぜひ手にとってみてください。それらはきっとみなさんが「ゆたかさ」についてさらに思考を深める手がかりとなるはずです。

物質的な「ゆたかさ」を追求し、拡大・成長していくという価値観がゆらぐ現在、本書が、それぞれにとっての「ゆたか」な人生を考える一助となることを願っています。

編者　栗山圭子

目次

I

〈ゆたかさ〉を問いなおす

就職活動を意識し始めためぐみさんは，石川先生の「経済学」の授業を受けてブラック企業やパワハラの現実を知り，さらに詳しい話を聞くために先生の研究室を訪ねました

めぐみさん
文学部の学生
石川先生の経済学の授業を履修

石川康宏先生
文学部教授
専門は経済学

より温かく、より成熟した人間社会へ
——マルクス『資本論』から

子どもの貧困やブラック企業を知って

めぐみ　先生、こんにちは。今日の「経済学」でとりあげられた子どもの貧困の動画は衝撃でした。いまの日本にごはんを満足に食べられない子どもがたくさんいるとは……。ああいう生活の大変さはどこか遠くの国の出来事だと思い込んでいました。

石川先生　日本の貧困はメディアも大きくとりあげないしね。資産が二兆円を軽く超えるスーパーリッチから、寝る家もないホームレスまで、日本の所得格差はとても大きいよ。

めぐみ　授業で見せていただいた映像には、どんぶりの底に残っているかもしれないうどんの切れ端をずっと箸で探している子とか、お小遣いがなくて、友だちがお菓子を買っても自分は見ているだけで、そんなことがきっかけで不登校になってしまった子とか、つらい話がたくさんありました。その子が自分は「みじめだ」って言っていたのは、とても胸に刺さりました。

石川先生　うん。たとえば、日本のスーパーリッチが二兆円以上の資産を一〇〇年で使い切るには毎日六〇〇〇万円以上の買物が必要なんだけど、その一方で、一〇〇円、二〇〇円のお金がないために、つらい思いをする子どももいるんだよね。そういう子どもたちになんとかごはんを食べてもらおうと、市民が力をあわせてつくる「子ども食堂」は、二〇一九年までに全国で三七〇〇カ所を超えている。行政がもっとしっかりしてほしいね。

めぐみ　今日うかがったのは、就職や会社についてもっと教えていただきたいからなんです。私もこれから就職活動をします。でも「経済学」の授業でブラック企業の話をたくさん聞いて――過労死とか、みなし労働で給料が支払われないとか、セクハラやパワハラとか。どうしてそんなことが起こるんでしょう？　どれも犯罪みたいなものですよね？　先生はそういう問題をマルクスが深く分析してるって言われてましたね。

資本主義の根本的な特徴は

石川先生　え、マルクスまで遡って話さないといけない？　それは大変だなあ（笑）。「経済学」では、マルクスの話をどれくらいしたっけ？　いまぼくたちが生きている社会を資本主義と呼ぶ最初のきっかけをつくったのは……。

めぐみ　マルクスでしたよね。それから、マルクスよりもっと前の経済学者は資本主義の社会を文明的で、完成された社会のようにとらえたけど、マルクスは資本主義も永遠でなく、人間は資本主義の弊害を乗り越えて新しい社会に進むと考えたんですよね？

カール・マルクス

石川先生　よく聞いてるね。若い頃のマルクスはいまの社会を「商工業社会」とか「ブルジョワ社会」なんて呼んだんだけど、『資本論』という大きな本をまとめる研究のなかで「資本家的生産様式」という言葉を編み出した。じつは『資本論』に「資本主義（Kapitalismus）」という言葉はそう多く登場しないんだけど、マルクスに影響されたその後の経済学者たちが、もっぱら「資本主義」という言葉を使うようになって広まったんだ。

めぐみ　でも一九世紀ヨーロッパのマルクスの時代も、二一世紀の日本のいまも、同じ資本主義ということでいいんですか？

石川先生　マルクスはある社会の性質をとらえる根本を、どういうやり方で必要なものをつくるかという「生産様式」と、その生産を行う人びとのつながりである「生産関係」の二面でとらえていてね。資本主義に特有な「生産様式」は機械制大工業で、資本主義に特有な「生産関係」は資本家と労働者の結合を基本にとらえていった。この特徴は、二一世紀の日本社会でも変わっていない。

めぐみ　機械制大工業というのは自動車とかスマホをつくったりする工場のことですか？

石川先生　マルクスの時代には簡単なものだったけど、人が手にもった道具でなく、作業機と呼ばれる部分が原料や材料にはたらきかけてものをつくるのが機械で、それが蒸気力などの力で一度にたくさん動かされているのが機械制大工業の最初のイメージ。いまだと、いろんな種類の機械が組み合わされて、全体の動きをコンピューターが管理するようになっている。マルクスは機械制大工業をそれ以前の社会にはなかった「独自の資本主義的生産様式」と呼んでいた。いまではものをつくらない事務職とかサービス業の人が多いけど、そこでもパソコンを使ったり、逆にパソコンに管理されたりと、事務労働も機械化されているね。

めぐみ　生産様式のほうはわかりました。もうひとつの生産関係というのは？

石川先生　そういう生産様式の下での人間関係のこと。資本主義では生産手段をもっている資本家とその資本家に労働力を売って生きる労働者の結びつき、つまり労資関係が基本だけれど、あわせて資本家同士の競争や労働者の労働条件を低く抑えるための資本家同士の共同、それから労働者同士の競争や共同、労働条件の改善に向けた団結なども含まれる。

マルクスは、いつの時代にも労働には原材料となる労働対象、それにはたらきかける道具や機械などの労働手段、そして人間の労働そのものが必要だとして、これら三つの中身や結びつき方を基準に社会の歴史をとらえ、また労働対象と労働手段をまとめて生産手段とも呼んだんだ。

めぐみ　スマホやパソコンの材料になる金属やプラスチックなどが労働対象、それをつくるための機械が労働手段、その両方が生産手段で、資本主義社会ではそれを資本家がもっているということですね。

石川先生　資本主義では資本家に労働者が雇われることで、労働や生産に必要な三つの要素がそろう。その結果、労働は基本的に資本家の監督や命令にしたがって行われ、労働の成果は労働者ではなく資本家のものになる。ぼくも学校法人神戸女学院に雇われている労働者だ。

めぐみ　私たちが行う就職活動は、自分を雇ってくれる資本家を探す活動ということなんですね。

石川先生　面接の場で、私はがんばりますよ、粘り強いですよ、コミュニケーション力も高いですよ、なんてアピールするのは、自分の労働力の優秀さをアピールするということ。資本家もそうした角度からみんなを品定めする。

めぐみ　でも、雇ってもらうためにペコペコあたまを下げるのは、なんかちょっと違う気がします。

石川先生　そうだね。お互い身分に上下のない対等な関係のはずだからね。じつは、そこには法律で平等を定めても、経済の分野が平等でないと本当の平等は実現されないという問題がある。マルクスは二〇代の半ばでそこに気づいて、自由・平等・博愛の社会をめざすとしたブルジョワ革命に積極的に加わりながらも、ブルジョワ革命は資本家の経済活動の自由をもたらすから、さらなる社会改革が必要になると見通したんだ。実際にも、マルクスの時代の労働者は、工場周辺のスラムに暮らす明らかな経済的弱者だったしね。

めぐみ　ブルジョワっていうのは資本家のことですよね。じゃあ、労働者になる私も経済的弱者なんでしょうか？

石川先生　まわりには同じくらいの生活水準の人が多いだろうから、普段そう感じることはないかもしれないけど、でも雇う人と雇われる人では所得水準が大きく違う。雇ってくださいとお願いする側と、誰を雇おうかと人を選別する側という立場の違いもある。資本家にくびにされると労働者は生きていけなくなるからね。

めぐみ　くびにされると生きていけないから、無茶なことを言われてもがまんして働いてしまう。ブラック労働の問題も、そういう立場の違いがもたらすものですね。

等価交換の経済でどうして儲けが？

石川先生　資本主義の経済を動かす原動力は、自分たちの儲けを大きくしようとする個々の資本の運動で、マルクスは資本を「自己増殖する価値の運動体」なんて言葉で表現してもいる。

めぐみ 自己増殖する価値……ですか。

石川先生 具体的にはメーカーやデパートや銀行などが、そもそも儲けの追求を目的にした組織だということ。だから、誰にも止められないと儲けの追求が行き過ぎて、法律など社会のルールを破るブラックに走ってしまう。学生のあいだでも、ブラックバイトなんていうのがあるでしょ？

めぐみ 「あそこのバイトはブラック」といった話を聞くことはありますね。

石川先生 商品が宣伝文句と違うといった消費者にとってのブラックもあるけれど、最近話題のブラックは、労働者を不当に扱うもの。人がまともに暮らせない低賃金・長時間・過密労働を強いて、それに抗議する人をパワハラでいじめるといったような。そのため、ひどい場合には「過労死」とか「過労自死」なんてことも起こるし、それを「本人の健康管理の問題」なんて平気で言う資本家も出てきている。基本給を安く設定してあとは歩合給や成績給にするなど、労働者を自分からすすんで長時間・過密労働に向かわせるあくどい賃金体系もある。就職活動ではそのあたりも十分チェックしてほしい。

めぐみ　どうしてそんなことが許されるんですか？　おかしくないですか？

石川先生　そこは資本主義の仕組みのそもそも論になってくるね。ぼくたちは生活に必要なもののほぼすべてを、お店で買っている。お金と引き換えに、誰かがつくった品物を手に入れて暮らしている。普段あまり意識することはないけれど、資本主義はそういう交換の世界を土台にしているよね。

めぐみ　そうですね。

石川先生　だからマルクスの『資本論』もそういう市場経済を分析し、交換が価値の等しいものの交換、つまり社会的・平均的には等価交換であることの確認から始めている。そこで品定めされる価値というものの実体は、その商品をつくるのに必要な労働の量で、それはマルクスより前にアダム・スミスやデイビッド・リカードといった有名な経済学者も探究していたこと。個々の交換ではどちらかが得をするケースもあるけれど、大量の交換の平均のなかでは等価交換が貫かれる。そこ

『資本論』初版書影

に貨幣が入り込むと、品定めは商品の「価格が適正か」という形で現れる。

めぐみ　たしかに私も買物をするときには、この服で一万円は安いとか、高いとか、そういうふうに考えますね。

石川先生　ところが資本主義の経済が等価交換を土台にしているとなると困った問題が起こってくる。等価交換の世界に、どうやって儲けが生まれてくるのかという問題が。

めぐみ　それは考えたことがないですね。思いつくのは、資本家が一万円のものを八〇〇〇円で買って一万円で売ったり、一万円のものを勝手に一万二〇〇〇円で売っているとか……。

石川先生　それだと等価交換の原則が破られているよね。それに、もしそうなら、儲ける人と損をする人の金額はいつも同じでプラスマイナスゼロになり、社会は少しもゆたかにならなっていかない。ところが実際には資本主義世界のＧＤＰ（国内総生産）合計は毎年どんどん大きくなっている。

めぐみ　そうですね。

石川先生　これはスミスやリカードにも解けない大きな謎だった。マルクスは、資本家が機械や原材料を買ったり、生産した商品を売るときの支払いは等価交換で、そこからは儲けは生まれてこない、謎を解く鍵は資本家と労働者の交換にあると考えた。マルクスより前の学者は、資本家が買っているのは労働者の「労働」で、「労働」の価値は「労働」が新たに生み出す価値に等しいと考えていた。月給二〇万円を支払って、その人から二〇万円分の生産物を得るのだと。でもそれだと儲けは生まれない。そこでマルクスがたどり着いたのは、賃金が「労働」じゃなく「労働力」の対価だということ。

めぐみ　え、何が違うんですか？

賃金は労働力の再生産費

石川先生　「労働」は働く行為のことで、「労働力」は働くためのエネルギーのこと。たとえばぼくの「労働力」は、授業をするとか、論文を書くとか、学科のカリキュラムを考えるとか、入試の監督をするとか、いろんな形で発揮される。そうした働くエネルギーの発揮とか支出とかの具体的な形が「労働」。

めぐみ　私たちが就職して賃金のかわりに売るのは労働力ですか？

石川先生　そう。朝から晩まで仕事をすると体の力がなくなるね。「疲れた、もうだめ」って、それこそ働くエネルギーが切れてしまう。でも、ごはんを食べて、テレビを見たり、音楽を聴いたり、家族とおしゃべりしたり、お風呂に入ったり、そして最後に布団でグッスリ眠ると、次の朝には力が回復している。そうして、毎日職場で消費される労働力を再生するのに必要な費用が賃金の中味。

めぐみ　食費とか、家賃とか、電気代とか要するに労働者の生活費ということですね？

石川先生　具体的な金額は労資の力関係で変わるんだけどね。そのあたりのことをマルクスはこんなふうに言っている。

労働力の価値は、他のどの商品の価値とも同じく、この独特な物品の生産に、したがってまた再生産に必要な労働時間によって規定されている（中略）労働力は、生きた個人の素質として実存する（中略）個人の生存が与えられていれば、労働力の生産とは、この個人自身の再生産または維持のことである。自分を維持するために、生きた個人は、一定量の生活諸手段を必要とする。したがって、労働力の生産に必要な労働時間は、この生活諸手段の生産に必要な労働時間に帰着する。すなわち、労働力の価値は、労働力の所有者の維持に必要な生活諸手段の価値である。

(『資本論』〔新書版・第二分冊〕新日本出版社、一九八二—八九年、二九一—二九二ページ)

めぐみ　でも労働者はお金を貯めて旅行に行ったり、きれいな店でおいしい料理を食べたりもしますよね。それは「労働力」の再生産とは違うような気がしますが。

石川先生　ところが、そうした束の間の休みでリフレッシュされた力が次に向かうのはやっぱり仕事でしょ。労働者本人は「仕事のことを忘れて楽しく」と思っているけど、それでリセットされた気力や体力は、結局は休み明けの仕事に向けられていく。

めぐみ　なんだか悲しくなってきますね。

石川先生　そうだね。仕事と家庭の区別は大事で、労働時間の短縮や自由時間の拡大はとても大切なことなんだけど、家庭もまた職場で発揮される労働力を再生する場所として、資本主義経済の重要な拠点になっている。労資関係は職場で完結するのでなく、労働者家庭のなかにまで浸透してるんだよね。

めぐみ　専業主婦はどうですか?　専業主婦なら労資関係から抜け出せますか?

石川先生　パートナーが労働者だと抜け出せないね。専業主婦が家事を受けもってパートナーの世話をすることは、その人のエネルギーを再生し、そのすべてを職場で発揮させる条件をつくるということだし、他方で、主婦は家事労働に必要な労働力の再生をパートナーの賃金に頼っている。

めぐみ 資本家からすれば専業主婦は夫の労働力のメンテナンス係なんですね。

石川先生 経済的な役割はそうなるね。その上で、パートナーの労働力は年をとると次第に失われていって、定年退職に追い込まれる。そこでこの世から現役の労働者がいなくなってしまえば資本主義の歴史はおしまいだけど、実際には資本主義は何百年も続いている。それは労働者家庭で、次の世代の若い労働者が育てられているから。

めぐみ 子育ても資本主義の社会では、将来、資本に必要とされる労働力の再生産ということですか？

石川先生 パートナーや子どもへの「愛」という自覚にもとづく行動だったとしても、客観的には、労働者家庭の主婦はそういう役割を担っている。

労働は賃金を超えて剰余価値を生む

石川先生　それで儲けのつくられ方に話をもどすと、マルクスはこう続ける。労働力をどう使うかは、それを買い取った資本家が決めることだ。それはお店で買った洗濯機を毎日三回使うか、あるいは週に一回しか使わないかは、買った人の自由というのと同じだと。

めぐみ　労働力も洗濯機と同じですか？　それじゃあ、ひどい働かせ方になるような……。

石川先生　資本主義の成立当初はまともな雇用契約もなく、労働条件は労働現場の力関係で決まっていたからね。毎日一〇時間を大きく超えて働くのが当たり前で、同じ賃金で長く働かせるほど資本の儲けは大きくなった。その後、労働者は労働組合をつくって抵抗し、一九世紀の前半から労働時間は次第に短くなっていくけれど、資本家が労働者に支払う賃金以上の価値を労働者につくらせるという現実は変わっていない。たとえば二〇万円の賃金を支払いながら、月に三〇万円分の商品をつくらせるというように。

めぐみ　マルクスはその差を「剰余価値」と呼んだのでしたね。

石川先生　そう。それが可能になるのは労働者の「労働」が新しい価値を生み出す性質をもっているから。だから資本家は「労働力」を価値どおりに買っても、それを上回る価値を生産させることができ、それを等価交換で販売して儲けを得ることができる。こうやって資本家は等価交換の原則を侵害せずに、儲けを生み出し続けている。

めぐみ　そうやって「労働力」を目一杯消費して、できるだけ大きな儲けをつくらせようとするところからブラック労働が生まれるんですね。バイト先でも、ちょっと友だちとおしゃべりしたら「口を動かすな、手を動かせ」って言われたり、時間になったのであがろうとしたら「こんなに忙しいのに先に帰るのか」って怒られて、それでいて残業代はもらえないなんてこともありますからね。

石川先生　資本家には、やさしい人もたくさんいるはずなんだけど、でも、いつもほかの資本家との競争関係におかれているから、家庭では子どもにやさしい親なのに、職場では労働者を怒鳴りつけてしまうといったことも起こってくる。人が資本家としての経済的な役割に、いわば取りつかれてしまうんだね。

めぐみ　わかるような気がします。

石川先生　だから、労働条件を改善しようとすれば、資本家全体の競争条件の制御が必要になる。一律に、法律でしばるということが。そのあたりのことを、マルクスはこんなふうに言っている。

資本は、社会によって強制されるのでなければ、労働者の健康と寿命にたいし、なんらの顧慮も払わない。肉体的、精神的萎縮、早死、過度労働の拷問にかんする苦情に答えて資本は言う――われらが楽しみ（利潤）を増すがゆえに、われら、かの艱苦《かんく》に悩むべきなのか？　と。しかし、全体として見れば、このこともまた、個々の資本家の善意または悪意に依存するものではない。自由競争は、資本主義的生産の内在的な諸法則を、個々の資本家にたいして外的な強制法則として通させるのである。

（同書、第二分冊、四六四ページ）

めぐみ　なるほど。ところで私のバイトはファミレスのホールスタッフなんですが、私は何もつくっていません。それでも儲けをつくっているといえるんでしょうか？

石川先生　マルクスは商品をつくる生産資本つまりメーカーと、メーカーがつくった商品を販売するデパートや量販店などの商業資本、それから生産資本や商業資本にお金を貸す銀行を区別して、それぞれの儲け方の違いについても書いている。そこがヒントになる。

めぐみ　そうなんですか。

石川先生　メーカーがつくった、たとえばパソコンは、剰余価値をすでに含んでいる。だけど、その剰余価値の取得は売れないと「実現」しない。商品は売れてはじめて儲けを生む。そこでメーカーは販売にも力を入れねばならない。そこを「私が専門にやりますから」と代行するのが商業資本。商業資本は「生産に専念できるほうがメーカーさんは効率的でしょ」「その分、商品を少し安く仕入れさせてください」「私らはそれを定価で売って差額で稼ぎますから」という儲け方をする。つまり商業資本は生産資本が生み出す剰余価値の分け前をもらっている。

めぐみ　私の友だちには家電量販店でバイトしている子もいます。

石川先生　店員さんは商業資本に雇われた労働者だけど、彼らは商品を販売することで商業資本に生産資本から剰余価値を移転している。そうするとメーカーやデパートにお金を貸して、それに利子をつけて返してもらっている銀行資本の儲けも、大もとは生産資本が生み出す剰余価値だということがわかるよね。実際に剰余価値を生産しているのは、モノやサービスなどの商品を「生産」する労働者だけで、それ以外の労働者はその分け前を自分の雇い主に移転する仕事をしているということだ。

めぐみ　そうすると、私のバイト先だと厨房のなかがミニ生産資本で、ホールスタッフがミニ商業資本ということですね。厨房でどんなにおいしい料理をつくっても、ホールスタッフがそれをお客さんに運んだり、テーブルを片づけたりしないと儲けは「実現」しませんからね。私はそんなことをしてたんですね。マルクスは私のバイトも分析していた（笑）。

石川先生　それは同じ資本のなかでの仕事の分担なんだけど。まあいいや（笑）。

進んだ資本主義と遅れた資本主義

めぐみ　先生は日本とずいぶん違った社会として、よくデンマークを紹介されますが、でもデンマークも日本と同じ資本主義ですよね。

石川先生　そうだね。でもマルクス流にいえば、日本よりずいぶん進んだ資本主義。

めぐみ　資本主義にも進んだとか遅れたとかいう違いがあるんですか？

石川先生　「儲け第一」の資本の活動が野放しになっているのが、社会に工夫のない遅れた資本主義。それを労働者がより大切にされる方向に、社会の合意にそって制御しているのが、より進んだ資本主義。たとえば国連が二〇一二年から、一人当たりのGDP、社会的支援・社会保障、健康寿命、人生選択の自由度、人の多様性への寛容さ、社会の腐敗度などを基準に、国別の幸福度ランキングを発表しているけど、二〇二〇年のデンマークは一五三カ国・地域の比較で世界第二位、日本は六二位だった。

めぐみ　日本はそんなに低いんですか？

石川先生　とても先進国と呼べる状況じゃあない。デンマークはこれまでの発表でフィンランドとともに三度一位になっていて、ベスト三から落ちたことが一度もない。労働条件を紹介すると、大人の最低賃金が時給一一〇デンマーク・クローネで、一三歳から一七歳までの学生用最低賃金が六五〜七〇デンマーク・クローネ。日本円に直すと、日々のレートに応じて変わるけど、二〇二〇年四月一三日の時点で、それぞれ約一七四〇円と一〇三〇〜一一〇〇円くらいだね。週労働時間の上限は三七時間で、男性フルタイマーの帰宅ラッシュは三時半から五時くらい。有給休暇は年六週間で、消化率はほぼ一〇〇パーセント。しかも、六週のうち三週は一度にまとめて取ることができる。

めぐみ　私のバイト代は一〇〇〇円くらいですから、デンマークの中学生以下ですね。フルタイムの労働者が夕方のうちに帰れるなんて、私もそういう社会で暮らしたいです。

石川先生　ほんとにね。社会保障や教育については、病院代や介護費は無料、学費も幼稚園から大学院まで無料で、全大学生・大学院生に毎月一〇万円程度の奨学金が給付される。返済の必要はない。高校までの子どもにも一人当たり月一万六〇〇〇円から二万六〇〇〇円くらいの手当があり、ほかにもいろんな施策があるので、シングルマザーなど一人親家庭の貧困率は世界で最も低くなっている。

めぐみ　学費が無料って、すごいですね。お金がないから大学にいけないという人はいないんですね。おまけに一〇万円も奨学金があればバイトをする必要もない。

石川先生　そういうタイプの国は、北欧から西欧に広がっていて、むしろ日本のほうがおかしな国。文部科学省の資料でも日本は世界で一番学費が高い。労働時間も日本は世界で一番長いけど、そうやって事実をひとつずつ確かめていくと、日本はかなりいびつな社会。

めぐみ　そうなんですね。

石川先生　経済の活力についても、二〇一九年のデンマークの時間当たりの労働生産性は世界第五位で、日本の二〇位よりずっと上。一人当たりのＧＤＰでも世界九位で日本は一七位。二〇一七年には電力需要の四三パーセントを風力発電でまかなって、二酸化炭素排出量も減らしており、原発はつくらないという方針。

めぐみ なんだかすごすぎて、同じ人間の社会とは思えないくらいです。でも、デンマークとか北欧は税金が高いんですよね？

石川先生 うん、高い。ただし、税金の高さは、それによって自分の暮らしがどれだけよくなるのか、そのバランスで考える必要があるよね。二五パーセントという消費税率がよく話題になるけど、じつは税収の六七パーセントは所得税や法人税などの直接税。つまり稼いでいる人や企業から生活の大変な人への「所得の再分配」はちゃんと機能している。くわえて大切なのが、二〇一九年六月の国政選挙の投票率が八四・五パーセントに達していること。

めぐみ 多くの人が納得の上でこういう国づくりをしているということですね。

石川先生 日本では二〇一九年七月に行われた参議院選挙の投票率が四八・八パーセント。そして、一〇月に一〇パーセントに引き上げられた消費税も、いったい何に使われるのやらという感じ。市民がもっとしっかり政治を動かす力をもたないとね。

日本でも社会運動が成長している

めぐみ　マルクスはそんなデンマークみたいな資本主義も見通してたんですか？

石川先生　マルクスは、資本主義を儲け第一の困った社会だというだけでなく、よりよい社会をめざす労働者の力が育つ社会ともとらえていた。それは資本主義が確立すると同時に、労働時間の短縮や労働者の選挙権を求める大きな運動が始まったイギリスなどを分析してのこと。今日のデンマークは、そうした力による資本主義改革の取り組みのその後の到達点としてとらえることができる。

めぐみ　日本が遅れているのは、そういう運動の力が弱いからということですか？

石川先生　そうだね。でも、それにも理由があって、そもそも日本は資本主義が成立した時期が遅く、そのため労働者たちの闘いの歴史が浅いんだ。マルクスが『資本論』第一部を発表した一八六七年には、日本はまだ幕末だった。日本も、ブラックなんて言葉が使われなくなる、よりまともな資本主義に早く成長させていきたいよね。

めぐみ　日本にも「のびしろ」があるということですね。ちょっと安心しました。

安全保障関連法案に反対するデモ行進　写真提供：共同通信社

石川先生　日本には平和で民主的な社会づくりの立派な設計図として日本国憲法がある。これはとても大きな財産なんだよ。

めぐみ　憲法に書いてあることは、なんだか建前っぽい感じがするんですが。

石川先生　そこが大きな問題。憲法の優れた理念に国民の理解や願いが追いついていない。たとえば、国民には健康で文化的な最低限度の生活を営む権利があり、その権利を守るのは国だと第二五条には書いてある。でも、それが多くの人の切実な願いや合意になっていない。

めぐみ　だから憲法が定まって七〇年以上もたつのに、三食まともに食べられない子どもがいて、それを自己責任だから仕方がないと考える大人がいるんですね。

石川先生　ブラック労働とのかかわりについては、第二七条が賃金、就業時間、休息その他の勤労条件に関する基準は法律で定めるとしている。つまりまともな法律が求められている。ところが政府はブラックを本気で取り締まる意思をもたず、それを政治に求める市民の声も十分ではない。優れた憲法と主権者の意識のこのギャップを埋めることができれば、日本は相当大きく変わると思うんだけどね。

めぐみ　憲法と私たちって、そんなふうにつながってるんですね。

石川先生　その点で画期的なのは、二〇一五年末に「安保法制の廃止と立憲主義の回復を求める市民連合」（略称・「市民連合」）がつくられて、今日まで大きな役割を果たしていること。彼らはいくつかの野党と政策の合意をつくって選挙に挑み、それを通じて政治を変えようとしている。その柱は、海外でアメリカと共同戦争をするという安保法制を廃止し、憲法にもとづく政治を回復し、「個人の尊厳を擁護する政治」を実現しようということ。

めぐみ　名前を聞いたことはありましたが「市民連合」というのはそういう団体だったんですね。

石川先生　スマホで検索してみるといいよ。人権を本気で守る政治を自分たちの手でつくるというこの運動は、日本の歴史のなかで本当に画期的。

めぐみ　マルクスが見通した労働運動や社会運動が日本でも成長しているということですね？

石川先生　そう。めざすのは儲け第一の社会を民主的に制御するということだし、「市民連合」のメンバーは多くが労働者やその家族だからね。中心になっているのは安保法制に反対する学者の会、ママの会、学生、労働組合、平和団体などだけど、大学教員は大学に雇われた労働者で、ママも多くが労働者あるいは労働者の家族、学生もほとんどが労働者の家族で多くが自分も労働者になる、平和運動の担い手も労働者が多いし、労働組合はもちろんそう。つまりこれは労働者の運動と別のところにある「市民運動」ではなく、「市民運動」という形をとった労働者たち中心の運動なんだよね。

マルクスが資本主義の先に見た社会

めぐみ　なるほど日本も変われそうな気がしてきました。ところで、マルクスは資本主義を改良するだけでなく、資本主義じゃない社会に転換しようともしてたんですよね？

石川先生　そのあたりのマルクスの二段構えはおもしろくてね。資本主義は労働者の運動で改良されていくけど、だからといって歴史は資本主義で終わりにはならない、むしろ改良を重ねるからこそ資本主義を超えることの必要が社会の合意になっていく、つまりマルクスにとって、目の前の資本主義の改良と、その先にくる新しい社会への転換は人びとの連帯や協同を深める同じ道の上にある地続きのもの。そして資本主義の次にくる社会のことを、マルクスはヨーロッパですでにそう呼ばれていた社会主義や共産主義という言葉で表した。

めぐみ　じゃあ改良がデンマークより遅れている日本は、次の社会への転換にはまだ時間がかかるということですね？

石川先生　そうなりそうだね。実際、いまの日本にただちに次の社会への変革に取り組もうという大きな運動は見当たらないでしょ。遅れた資本主義をより進んだ資本主義に改良していくことが目下の課題。

めぐみ　そうやって見通された社会主義とか共産主義というのは、一体どんな社会なんでしょう？　いまより暮らしやすくなるのでしょうか？

石川先生　そもそも資本主義の改良が、より暮らしやすい社会をめざすものなんだから、その先にみんなで向かう社会がよりよいものにならないわけがない。万が一そうならなければ、みんなで元にもどすことになる。マルクスはその未来社会の姿について、短くこんなふうに表現したことがある。

共同的生産手段で労働し自分たちの多くの個人的労働力を自覚的に一つの社会的労働力として支出する自由な人々の連合体（後略）　（同書、第一分冊、一三三ページ）

資本主義では生産手段を所有する人が資本家になり、所有しない人が労働者になるけれど、生産手段を社会の所有にすれば、そうした人びとの分裂や対立はなくなっていく。また、それによって労働は資本家の命令によるものではなく、自治的に行われるものになり、労働の成果も資本家だけの財産ではなく社会全体の財産になっていく。

めぐみ　資本家が労働者をブラックな労働条件で働かせる、そのそもそもの関係がなくなるんですね。

石川先生　あわせて資本家同士の儲け競争もなくなるので、景気の善し悪しを調整するなどマクロ経済の計画的運営もやりやすくなる。それから地球環境を破壊するような経済活動はもちろん行われなくなる。そんなことをして利益を得る人はいなくなるからね。

めぐみ　生産手段を社会のものにするということは、個人の財産がなくなるという意味ではないんですよね？

石川先生　もちろんだよ。マルクスも生産手段は共同所有で、生活手段は個人の所有とはっきり言っている。実際、自分の着るものがよその家の人との共有とか、わが家がよその家族との共有とか、そんなのいやでしょ。そもそも、そんなことをめざす改革に社会の合意ができるわけがない。

めぐみ　資本家がいなくても経済の運営は大丈夫なんでしょうか？

石川先生　そこは、資本主義の改良を通じて労働者が自分たちの力をつけていかねばならないところ。職場をうまく運営するとか、ブラック労働をなくすとか、失業や貧困を減らすとか、再生可能エネルギーに転換するとか、新しい産業を興すとか、失敗したり成功したりを繰り返しながら、経済の計画的運営に必要な力を身につけていかなければ。

めぐみ　そこも労働者や市民の成長が必要なんですね。

石川先生　各人の成長なしに社会の発展はないからね。それから、マルクスは将来の社会について、自由時間の拡大にもとづく個人の能力の発展というさらに壮大な展望を示している。資本主義では、機械が発展してもＡＩが導入されても、労働時間は短くならない。

そこに儲け第一がつらぬかれているからだよね。でも未来社会では労働条件は労働者自身が決めるので、労働時間が短くなり、各自の自由時間が長くなる。

めぐみ　デンマークはいまでも週三七時間労働でしたよね。

石川先生　それよりずっと短くなっていく。その結果、人は生活手段のゆたかさだけでなく「時間のゆたかさ」をもっとたくさん享受できるようになる。「学生時代は陸上をやっていた」「若い頃はバンドをやっていた」という人が、大人になってそれをやめざるを得なくなるのは仕事が忙しすぎるからだよね。労働時間の短縮は、それをやめる必要をなくしていき、スポーツであれ、芸術であれ、科学であれ、思う方向に自分の能力を伸ばすゆとりを人びとにもたらしていく。

めぐみ　なんだかすごい話ですね。

石川先生　労働時間が世界一長い、遅れた資本主義の日本ではなかなか想像しづらいけど、それだけ日本には希望に向かう「のびしろ」がたくさんあるということだね（笑）。そして、そうやって一人ひとりの能力が発達すれば、経済や社会を運営する効率はますます高くなり、その結果、労働時間がさらに短くなっていくという好循環がつくられる。その点について、マルクスはこんなふうに書いている。

〔将来の社会でも物的生産の領域つまり〕自然的必然性のこの王国〔は必要だが〕（中略）この〔必然性の〕王国の彼岸において、それ自体が目的であるとされる人間の力の発達が、真の自由の王国〔領域〕が——といっても、それはただ、自己の基礎としての右の必然性の王国の上にのみ開花しうるのであるが——始まる。労働日〔労働時間〕の短縮が根本条件である。

（同書、第一三分冊、一四三四・一四三五ページ、〔　〕内は石川による補足）

めぐみ　想像の範囲を超えますね。

石川先生　そうかもしれないね。でも大丈夫。これが日本で目前の課題になるには、まだたくさんの途中経過が必要だから（笑）。

めぐみ　まずは人びとの尊厳を真剣に守る政治をつくって、資本のブラックをきちんと制御し、そうやって一歩ずつ資本主義を改良していくことが必要なんですね。

石川先生　過去の長い歴史の上にいまの「ゆたかさ」があるように、これからの歴史のなかでも「ゆたかさ」はいろんな形で発展していく。その道筋をできるだけ無駄なく歩いていくために、みんなにはしっかり勉強してもらいたい。

めぐみ　とても楽しい時間でした。マルクスって、すごい人だったんですね。私も『資本論』を読んでみたくなりました。今日はありがとうございました。

石川先生　じゃあ、また授業でね。

（めぐみ役：栗山圭子）

Ⅱ 〈ゆたかさ〉を読む

1 日本文学から
——鴨長明が希求したもの

鴨長明『方丈記』

藏中《くらなか》さやか
（日本古典文学）

ゆく河の流れは

ゆく河の流れは絶えずして、しかも、もとの水にあらず。よどみに浮《うか》ぶうたかたは、かつ消え、かつ結びて、久しくとどまりたる例《ためし》なし。世の中にある、人と栖《すみか》と、またかくのごとし。
（鴨長明『方丈記』簗瀬一雄訳注、角川ソフィア文庫（改版）、二〇一〇年、一五ページ）

鴨長明の『方丈記』は「ゆく河の流れ」と「うたかた」（泡）を「人とすみか」に結びつけた名文から始まります。『方丈記』

は『枕草子』『徒然草』とともに日本古典文学作品中の三大随筆として知られ、とくに『徒然草』とは無常観という作品を貫く主題からも比較されます。しかし、平安時代の中ごろ、西暦一〇〇〇年になる前の宮廷世界に生きた清少納言、平安から鎌倉へすなわち貴族社会から武家社会へという時代の過渡期を経験した鴨長明、鎌倉時代の終わりごろに暮らした兼好法師——執筆された時代と社会的背景、そして各作品の分量や内容を考えてみると、いずれも古典文学作品の名作とされるものの、三大随筆とひとくくりにするにはあまりに違いがあることに思いいたります。

三作品それぞれの視点から「ゆたかさ」を考える材料を見出すことができますが、ここでは『方丈記』の世界を紐解きます。建暦二年（一二一二）に書かれた『方丈記』には、晩年に長明自身がたどりついた境地が記され、現代にも通じる普遍的な「ゆたかさ」を読み解くことができます。二〇一二年は『方丈記』執筆からちょうど八〇〇年にあたる年でした。これを記念する意味もあり、国文学研究資料館編集『鴨長明とその時代——方丈記800年記念』（国文学研究資料館、二〇一二年）、歴史と文学の会編『新視点・徹底追跡方丈記と鴨長明』（勉誠出版、二〇一二年）、浅見和彦訳・注『方丈記』（笠間書院、二〇一二年）、蜂飼耳訳『方丈記』（光文社古典新訳文庫、二〇一八年）など、長明と『方丈記』を

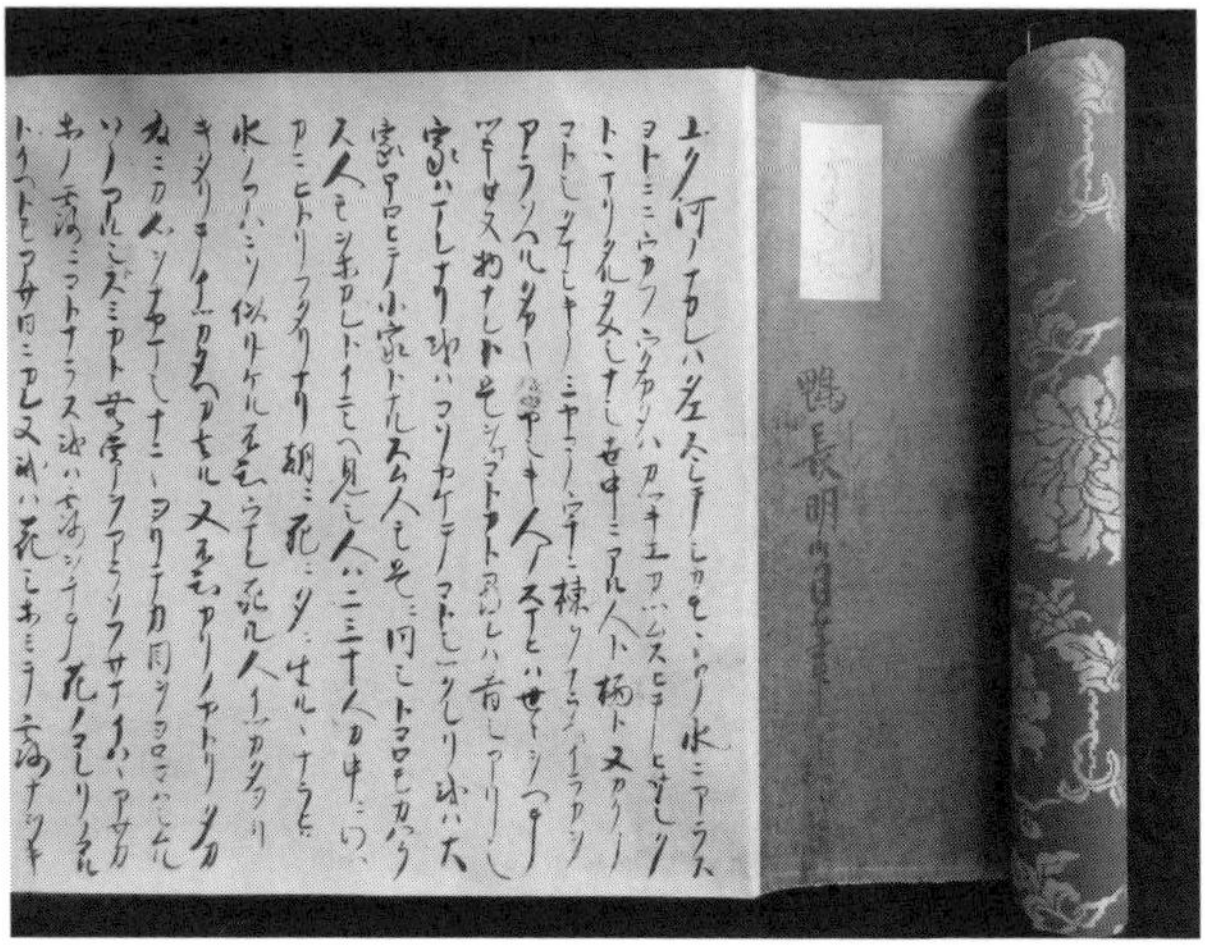

『方丈記』大福光寺本・複製，日本古典文学会監修，1971 年
学校法人神戸女学院所蔵

取り上げた著作が近年多数出版されています。いまなお『方丈記』研究は新たな地平が拓かれつつあるのです。その背景に、災害を描く文学作品への関心の高まりという、今日、私たちが置かれている状況との連関があることも見逃せません。

　最新の研究に述べられるところを参考にしながら、古くて新しい『方丈記』の世界をのぞいてみましょう。古典とは、読むたびに新たな気づきを与えてくれる作品のことを指します。ここから先は『方丈記』の本文（引用は角川ソフィア文庫（改版、簗瀬一雄訳注、二〇一〇年）による）に触れながら、素朴な驚きと新しい発見に遭遇してください。

「ミニマリスト」の誕生

作者鴨長明（久寿二年（一一五五）ごろ生、建保四年（一二一六）没）は、下鴨神社の社家に生まれました。二条天皇の中宮の引き立てにより七歳で従五位下に叙され、その将来は約束されたものであったかのようにみえました。しかし、一八歳のとき父長継《ながつぐ》が急死したことで、その運命は大きく変わります。同族の鴨祐兼《すけかね》が下鴨神社の禰宜《ねぎ》となり、父の跡を継ぐ道を絶たれてしまうのです。位階は生涯従五位下のままでした。長く不遇の日々を送った長明は、和歌と音楽、とくに琵琶を好み、その才能を開花させ、二〇代の後半には個人歌集『長明集』を編纂しています。当時、和歌は公家の日常生活ではもちろん、公的な宮廷行事でも詠まれ、文化の一翼を担うものでした。『方丈記』という随筆の作者として名高い長明には、歌人としての履歴があるのです。第七番目の勅撰和歌集である『千載和歌集』に一首が選ばれ、鎌倉初期の後鳥羽院歌壇にしばしば登場しています。四七歳のときには後鳥羽院により『新古今和歌集』の選歌に携わる和歌所の職員（寄人《よりうど》）の追加メンバーに選ばれ、また自らの和歌十首が同集に採歌されました。
歌人として活躍するなかで、元久元年（一二〇四）五〇歳ごろの春、長明は突然出奔し、やがて出家してしまいます。若年期からつまずくたびに自身のはかない運を悟ってきたと、順風満帆ではなかった人生を次のように振り返っています。

すべて、あられぬ世を念じ過《すぐ》しつつ、心を悩ませる事、三十余年なり。その間《あひだ》、をりをりのたがひめに、おのづから、短き運をさとりぬ。すなはち、五十《いそぢ》の春を迎へて、家を出で、世を背けり。（三六ページ）

長明の出家遁世の理由のひとつとして、下鴨神社の摂社である河合社の禰宜に後鳥羽院により推挙されたものの、結局、実現しなかったことが指摘されていますが、真の事情は定かではありません。当時の作かとされるのが次の『新古今和歌集』の一首です。

身ののぞみかなひ侍らで、やしろのまじらひもせで、こもりゐてはべりけるに、
葵をみてよめる

みればまづいとど涙ぞもろかづらいかに契りてかけはなれけん　（雑歌下・一七七八）

葵は賀茂祭を象徴する植物で、「もろかづら」は葵を頭にかざしたり殿舎の簾にかけたりする装飾を指します。この歌は、どのような宿命で下鴨神社とこんなに離れてしまったのか、と失意と悲嘆の想いを詠んでいるのです。都を離れ、はじめは大原（現・京都市左京区、三千院や寂光院のある地）に、やがて日野（現・京都市伏見区、醍醐寺から宇治への途上で法界寺のある地）に草庵を構えました。このころに執筆されたのが、『方丈記』や『無名抄』『発心集』です。

日野の草庵は「広さはわづかに方丈、高さは七尺がうち」（三七ページ）、つまり一丈（約三メートル）四方の広さで、組み立て式、移動式の建物でした。深山幽谷ではないものの都の中心から離れ、必要な身の回りの品々だけで過ごしたその暮らしぶりからは、最近、流行しているミニマリストの生活が想起されます。ミニマリストとは、「最小限のモノだけで生活する人」「モノに縛られない人生を志向する人」といわれます。都に暮らした長明がいくつもの挫折の末に行き着いたのは「仮の庵」での暮らしでした。草庵には、仏を荘厳する場として、供物を捧げる閼伽棚《あかだな》を設け、阿弥陀如来の絵像を安置し、脇侍の普賢

方丈の庵（復元，京都・下鴨神社摂社河合神社）

菩薩を描き、その前には『法華経』を置いていました。吊棚に置いた黒い三つの皮籠《かわご》には、和歌や管絃の本、『往生要集』（寛和元年（九八五）に源信によって著された仏教書）などを入れ、そのそばには琴、琵琶を立てていました。きらびやかで華やかなものは一切ありません。しかし、極限的にモノをもたない暮らしを選択しつつも、自身の精神世界を維持するために必要なものはその身の近くに備えていたことがわかります。

人が暮らしていくために最低限必要なモノは何か、を考えてみてください。誰しも、捨て去っても最後まで手放せないモノがあります。小林一彦氏は『方丈記』を「〃断捨離本〟のルーツ」（『NHK「100分de名著」ブックス 鴨長明 方丈記』NHK出版、二〇一三年、一一〇ページ）とし、長明には「仏道修行のかたわら、最後まで手放せないものがあった」（同書、一二一ページ）ことを指摘しています。真に大切なモノとだけ暮らすこと、そのなかで得られる心の安らかさこそ、長明が晩年にたどり着いた、他者の価値観とは無関係な「ゆたかさ」であったのです。

「五大災厄」がもたらした人生観

長明の生きた時代は、保元の乱以降、院政の崩壊、源平の合戦、平家滅亡と世の混乱がつづいた時期でしたが、その間には大きな自然災害も頻発していました。『方丈記』の前半は、自身が経験した災厄を記者のような眼差しで俯瞰的に綴り、人びとの日常生活が失われ築いたものが壊れていくさまが語られます。「五大災厄」とされる出来事を、史実としての発生年、長明の推定年齢とともに示すと次の通りです。

①安元の大火（一一七七年、二三歳）

②治承の辻風〔竜巻〕（一一八〇年、二六歳）
③福原遷都（同年）
④養和の飢饉（一一八一年、二七歳）
⑤元暦の地震（一一八五年、三一歳）

十年に満たない期間に、天変地異という人の抗いえぬ災害が続き、さらに都を京から福原（今の神戸市内）に遷そうとする平清盛の企てまでもが起こります。「世の不思議を見る事、ややたびたびになりぬ」（一七ページ）と前置きして記されるそれぞれの場面から印象的な描写を摘記すると次の通りです。

①吹き迷ふ風に、とかく移り行くほどに、扇をひろげたるがごとく末広になりぬ。遠き家は煙にむせび、近きあたりはひたすら焔《ほのほ》を地に吹きつけたり。空には、灰を吹き立てたれば、火の光に映じて、あまねく紅なる中に、風に堪へず、吹き切られたる焔、飛ぶが如くして一二町を越えつつ移り行く。その中の人、うつし心あらんや。或《あるい》は煙にむせびて、倒れ伏し、或は焔にまぐれて、たちまちに死ぬ。或は身ひとつ

からうじて逃るるも、資財を取り出づるに及ばず。七珍万宝、さながら灰燼《くわいじん》となりにき。

（一八ページ）

②三四町を吹きまくる間に籠れる家ども、大きなるも小さきも、ひとつとして破れざるはなし。さながら平《ひら》に倒れたるもあり。桁《けた》・柱ばかり残れるもあり。門《かど》を吹きはなちて、四五町がほかに置き、また、垣を吹きはらひて、隣とひとつになせり。

（二〇ページ）

③にはかに都遷り侍りき。（中略）古京はすでに荒れて、新都はいまだ成らず。ありとしある人は、みな浮雲の思ひをなせり。もとよりこの所にをるものは地を失ひて愁《うれ》ふ。今移れる人は土木のわづらひある事を嘆く。

（二一―二三ページ）

④二年《ふたとせ》があひだ、世の中飢渇して、あさましき事侍りき。或は春・夏ひでり、或は秋・冬、大風・洪水など、よからぬ事どもうち続きて、五穀ことごとくならず。（中略）念じわびつつ、さまざまの財物《たからもの》、かたはしより捨つるがごとくすれども、さらに目見立つる人なし。たまたま換ふるものは、金《こがね》を軽くし、粟を重くす。乞食《こつじき》路《みち》のほとりに多く、愁へ悲しむ声耳に満てり。

（二五―二六ページ）

⑤都のほとりには、在《ざい》々所《しょ》々、堂舎塔廟一つとして全からず。或はくづれ、或は倒れ

ぬ。塵灰《ちりはひ》立ちのぼりて、盛りなる煙のごとし。地の動き、家のやぶるる音、雷《いかづち》にことならず。家の内にをれば、たちまちにひしげなんとす。

（三〇ページ）

瞬時に襲い来る災害、じわじわと追い詰め迫る禍《わざわい》、これらに共通してみえるのは、人びとが育み営んできたものがあまりに脆《もろ》く潰《つい》えさるさまであり、時に人命さえも失われてゆく現実です。長明は、この世、自身、住居の無常であること、それぞれの場や身の程なりに悩みが尽きないことを次のように述べています。

すべて、世の中のありにくく、わが身と栖との、はかなく、あだなるさま、また、かくのごとし。いはんや、所により、身のほどにしたがひつつ、心をなやます事は、あげてかぞふべからず。

（三三ページ）

都という中央の「ゆたかさ」の象徴であった建造物がはかなく消え去り壊れゆくことを実見し、この世の無常を身に刻んだ自己の体験が、その後の長明の人生観をかたちづくっていったことは容易に想像されます。時を経ても変わらないもの、周囲がどうあろうと動じることのないもの、それこそが真の「ゆたかさ」なのではないのか。長明はそんなふうに悟っていったのではないでしょうか。長明自身の前半生は災害が連続した時期と重なり、自らの見聞や経験が、その思想の根源になったと考えられます。

日野の草庵あと

「事に触れて、執心なかれ」という仏の教え

『方丈記』の終わりを締めくくる跋文《ばつぶん》には

時に、建暦の二年、弥生のつごもりころ、桑門《さうもん》の蓮胤《れんいん》、外山《とやま》の庵にして、これを記す。

（四九―五〇ページ）

とあります。『方丈記』は「外山の庵」（日野の草庵のこと）で書き終えられました。その作者名は鴨長明ではなく「桑門の蓮胤」という耳慣れない名で記されていますが、「桑門」とは出家者、仏道修行者のことを指し、「蓮胤」とは鴨長明の法名です。蓮胤が書き残した『方丈記』が仏教的な思想を帯びているものであることは、作品理解の前提となります。執筆されたころは仏教では「末法の世」の到来とされた時代で、「濁悪世《じょくあくせ》にしも生まれあひて、かかる心うきわざをなん見侍りし」（二八ページ）と長明も述べています。

作中には、出家者慶滋保胤の『池亭記』（平安中期に藤原明衡により編纂された漢詩文集『本朝文粋』に所収）との表現上の類似や仏教に関わる書物の影響を受けた表現があり、『方丈記』には仏教的な学びに依拠している部分があることが指摘されています。また阿弥陀仏の絵像を安置した草庵での暮らしが『法華経』を読誦する日々であったこと、諸説ありますがその宗教的立場は天台浄土教であったとする説なども具体的にも説かれています（今成元昭『『方丈記』と仏教思想』笠間書院、二〇〇五年）。

仏道修行者というと過酷な山籠もりをする修験者を想起するかもしれませんが、長明の出家生活は求道的、禁欲的なものではなく、次のように非常に大らかなものでした。

もし、念仏ものうく、読経まめならぬ時は、みづから休み、みづから怠る。さまたぐ

る人もなく、また、恥づべき人もなし。（三九ページ）

もし、余興あれば、しばしば松の韻《ひびき》に秋風楽をたぐへ、水の音に流泉の曲をあやつる。芸はこれ拙《つた》なけれども、人の耳を喜ばしめんとにはあらず。独り調べ、独り詠じて、みづから情《こころ》を養ふばかりなり。（四〇ページ）

あとの一節からは、厳格な修行生活を送ったというよりも、「音楽」を「修行の妨げ」とせず文字通り「音を楽しむこと」と理解し、風流人として数奇（風雅の道、芸道）のうちに生きたことがうかがえます。また末尾近くには次のようにあります。

仏の教へ給ふおもむきは、事に触れて、執心なかれとなり。今、草庵を愛するも、とがとす。閑寂に着するも、障《さは》りなるべし。（四八ページ）

ここでは世俗的なものへの執着を捨て、草庵で暮らすも、その隠遁生活に執着することはまた障りとなる、と述べています。仏教者として「執心なかれ」という「仏の教へ」に従い「執心」を捨てることをめざした草庵での暮らしのなかで見出したのは「執心」であったのです。「執心」は晩年の長明の心に重くのしかかり、「事に触れて、執心なかれ」という教えを実践する生き方を一つの理想としたものと考えられます。小林氏はこの点からさらに「中途半端にしか悟れない弱さこそが、実は長明の人間の魅力」（前掲書、一二一ページ）であることを指摘し、『方丈記』という作品の「自分史」的な側面を浮き彫りにしています。

生きる上での支え

晩年、住まいやモノをもつことを重んじなかった長明が大切していたものに音楽と和歌があることを紹介しました。『方丈記』には次のようにあります。

それ、人の友とあるものは、富めるを尊み、懇なるを先とす。必ずしも、情《なさけ》あると、すなほなるとをば愛せず。ただ、糸竹・花月を友とせんにはしかじ。（四四ページ）

人が友を選ぶのは、富裕であること、親切であることを重んじるが、「糸竹」すなわち管絃、「花月」すなわち花鳥風月に代表される季節の風物を友とすることには及ぶまい、と述べています。しかし、音楽や自然物を愛でる和歌を長明に教えたのは、「人」であり、決して独学を重ねていたわけではありません。

たとえば長明自身が『無名抄』に記すところによれば、琵琶の師であった中原有安は、長明に次のような言葉をかけたそうです。

そこなどは、重代の家に生れて、早くみなし子になれり。人こそ用ゐずとも、心ばかりは思ふところありて、身を立てむと骨張るべきなり。

（鴨長明『無名抄』久保田淳訳注、角川ソフィア文庫、二〇一三年、二六―二七ページ）

代々の下鴨神社の社家に生まれながら若くして「みなし子」となった長明。当時は「みなし子」が「社会的地位を得ること、家を継承することが困難な状況を生み出す時代」（今村みゑ子『鴨長明とその周辺』和泉書院、二〇〇八年、一五六ページ）でした。長明は音楽で身を立てることを選びませんでしたが、音楽の師であった有安は、単に音楽を教えるだけでなく、「人を使う身分にならなくとも立身を志し頑張るべきだ」と生き方を示し励まし導いてくれる人として長明を支えていました。

和歌では俊恵を師と仰ぎました。俊恵の自邸である歌林苑には源頼政や登蓮法師、殷富門院大輔などが集いましたが、これらの人びとと和歌を通じて交流したことが推測されます。『無名抄』には俊恵の教えが多く引用され、長明の和歌理解が俊恵直伝のものであったことがわかります。また父長継と従兄弟関係にあり和歌の方面で長明を庇護してくれた勝命入道や老歌人であった道因と和歌を詠み交わし、後鳥羽院のもと、俊成、定家、寂蓮などとも同じ場で詠作を行いました。直接的な面識の有無は確認されないものの、西行の影響も指摘されています（稲田利徳『西行の和歌の世界』笠間書院、二〇〇四年）。

『方丈記』執筆の数カ月前となる建暦元年（一二一一）一〇月には、飛鳥井雅経のすすめにより、ともに鎌倉へ行き、三代将軍源実朝と面会しています（年次は『吾妻鏡』によりますが、五味文彦『鴨長明伝』（山川出版社、二〇一三年）のようにこれを建暦二年のこととする説もあります。なお、太宰治の小説『右大臣実朝』にこの面会が取り入れられています）。これには、雅経が長明を実朝の和歌の師匠とすべく引き合わせたものであったようです。実朝にはすでに藤原定家との間に師弟関係があり、その後の進展は確認できないのですが、隠棲後もなお、雅経のように長明の才能を認め、引き立てていこうとする人がいたのです。モノへの執着から解かれることを意識して生きた長明は、決して孤高の人ではありませんでした。敬愛する師の言葉や教えは生涯にわたり心のなかに響きつづけ、また才能を認めサポートする人の存在も、その晩年の心を支えたことでしょう。

目に見えるものと見えないものと

『方丈記』にみえる長明個人の価値観は、仏教的な学びと個人の経験・感性から醸成されていったものでした。都での生きづらさ、窮屈さから解放された生活を長明は次のように述べます。

もし、夜しづかなれば、窓の月に故人をしのび、猿の声に袖をうるほす。草むらの蛍は、遠く槇の島の篝火《かがりび》にまがひ、暁の雨は、おのづから、木の葉吹く嵐に似たり。山鳥のほろほろと鳴くを聞きても、父か母かと疑ひ、峰の鹿《かせぎ》の近く馴れたるにつけても、世に遠ざかるほどを知る。

（四二ページ）

「草庵の楽しみ、清貧の安らかさに充足した生活」（左方郁子編訳『【新訳】方丈記――乱世を生き抜くための「無常観」を知る』PHP研究所、二〇一二年、三ページ）という評があるように、ここからは閑居生活がいかに自由で満ち足りたものかがうかがえます。長明の生き方は、モノにとらわれることなく、自由に生き、自身の内なる心の声に耳を澄ますことの大切さを教えてくれます。

「ゆたかさ」とは何でしょうか。みなさんの身の回りを見渡しながら考えてみてください。

モノがあふれる社会において、目に見えるもの、すなわち物質的な「ゆたかさ」に執着し、それを追い求めつづけることは、発展や進歩というポジティブなイメージにつながります。しかしそれらはいつの日か潰えさるものなのではないでしょうか。モノにこだわり、モノを手に入れるという欲望を満たすことは、心の渇きを一時的に満足させ、虚栄を誇るだけのことのように感じられませんか。

目に見えないものではありますが、他者の「判断」に依存するのではなく、他者の「支え」を受けた自己の経験や学び、内省から得るものは、真なる「ゆたかさ」をもたらします。『方丈記』は、現代の私たちに「ゆたかさ」とは何かを静かに語りかけています。

ブックガイド

『鴨長明伝』
五味文彦　山川出版社、二〇一三年

日本中世史の第一人者が、長明の生きた時代を解説し、作品から長明の精神性を読み解いています。歴史や文化のなかに作品を定位することでみえてくる長明の「ゆたかさ」を理解する手引きとなる一書です。

『唐物の文化史――舶来品からみた日本』
河添房江　岩波新書、二〇一四年

日本は「唐物《からもの》」と呼ばれる舶来品を「ゆたかさ」の象徴として受容してきました。珍奇で稀少な文物を手にすることは富や権力の証しであり、舶来品自体は文化への憧れの対象でもありました。人の心を動かして野望をも生みだす唐物をめぐる出来事からは、「ゆたかさ」のもつさまざまな面がみえてきます。

『文語訳聖書』(全五冊)
岩波文庫、二〇一四—二〇一五年

日本ではじめて組織的に聖書の翻訳作業が始まったのは一八七四年のことでした。先行する中国語訳聖書の影響を強く受けながらも、大和言葉の読みがそこに取り入れられました。漢文・和文の表現と響き合いながら語られる聖書の言葉は、キリスト教の世界だけでなく、近代日本の思想や文学に大きな影響を与えたと言われています。文豪たちをも魅了したゆたかな言葉の世界を、みなさんも味わってみませんか?

『なんとなく、クリスタル』
田中康夫　河出文庫、二〇一三年

この小説が発表された当時、四四二項目もの「NOTES」(注)があることが話題を呼びました。舞台は一九八〇年の東京。大学生でモデルの由利は、「なんとなく気分のいいもの」を選ぶことと、恋人・淳一との「共棲」を、悩みのない「クリスタルな生き方」だと思って過ごしています。大半の「NOTES」は、由利のファッションや行くお店についての解説です。モデルの収入を得ている由利の生活は都会的で華やか。しかし、流行やブランドに埋め尽くされたその生活は、「ゆたか」と呼ぶことをためらわせもします。まだ大学生であった作者の、デビュー作にして大ベストセラー小説です。

2 美術史学から
——絵と向き合う

ロベルト・ロンギ『イタリア絵画史』

伊藤拓真《いとうたくま》
（美術史学・西洋美術史）

「芸術に親しんで心を豊かにしよう」というようなスローガンを聞いたことはないでしょうか。このような考えの背景には芸術とは豊かなものだという前提があるように思えますが、それでは芸術のもつ「ゆたかさ」とはいったいどんなものなのでしょうか。多くの芸術作品には、直接的な有益性は存在しません。洗濯機や自動車は暮らしていくうえでの利便を提供してくれますが、絵や彫刻を見たり購入したりしても、それで生活が楽になるということはありません。芸術の「ゆたかさ」は言葉を変えると、芸術の価値ということもできるかもしれません。芸術の価値については多くの知識人が議論を重ねてきました。古代ギリシアの哲学者プラトンも『国家』（翻訳は岩波文庫などで刊行されています）のなかで、芸術の価値について論じています。しかし、ここではもう少し新しい著作をもとにして、芸術の豊かさについて考えてみることにしましょう。二〇世紀を代表する美術史家のひとり、ロベルト・ロンギ（一八九〇－一九七〇年）が執筆した『イタリア絵画史』（和田忠彦ほか訳、ちくま学芸文庫、二〇二〇年）です。日本語の翻訳も出版されていますが、説明をわかりやすくするため引用には私自身が訳したものを用います（Abscondita 社から出版された二〇一三年版のページ数を記した後に、日本語訳のページ数を参考として併記します）。

芸術の価値

『イタリア絵画史』にはいくつかの序文や解説文もつけられていますが、それらはひとまず飛ばして、まずは本文の第一部から読み始めてみましょう。『イタリア絵画史』は二部構成になっており、「考え方」と題された第一部がいわば理論編で、絵画とは何か、それはどのようにして見ればよいのか、著者の考えが提示されます。その第一部の冒頭は、次のような言葉から始まります。

まず確認しておくが、芸術というのは現実の模倣ではなく個人によるその解釈であるということを君たちは知っているだろうし、そのことについて私がわざわざ説明する必要もないだろう。

（一五ページ／一八ページ）

冒頭から「芸術とは何か」という大上段にも思える説明がされています。読者を挑発するような文体には面食らってしまうかもしれませんが、ここではまず「芸術とは個人による現実の解釈だ」というロンギの考えを確認して先を読み進めてみましょう。

その後の数段落を使って、「美術」とは何かという問題が「文学」と対比して説明されます。

詩人が言葉を使って現実の心理的本質を変容させるのに対して、画家は現実の視覚的本質を変容させる。造形芸術家にとって感じるとはすなわち見ることであり、その様式、すなわち芸術は、すべて芸術家の視覚の抒情的要素の上に組み立てられるのである。

（一五ページ／一八ページ）

詩人は文学の実践者であり、造形芸術家は美術の実践者です（「造形芸術」や「視覚芸術」という言葉は美術の別の呼び方です）。その後の説明は美術のなかでも絵画を中心に進みます。

画家は世界を限定された濃密な視点から見る。これがつまり絵画的見方というものであり、目に見える現実の果てしない混沌は、この見方のうちに避けがたく収斂《しゅうれん》される。（中略）ゆえに、次の等式が成り立つ。造形芸術＝造形様式＝造形的視覚

（一五ページ／一八ページ）

少し難しい表現かもしれませんが、『イタリア絵画史』全体のキーワードとなる「様式」という言葉が出てきました。様式というのはひとまずは作風のようなものと考えてよいでしょう。

ここまでわずか一ページのうちに、ロンギの「芸術論」ともいうべきものが提示されています。その主張を私なりにまとめると、次の三点に集約されるのではないかと思います。

- 第一に、芸術とは世界の再現ではなく、個人（芸術家）によるその解釈である。
- 第二に、美術（造形芸術）は芸術家の視覚的な解釈（見方）によってつくられる。
- 第三に、美術の本質は芸術家の「見方」であり、これは「様式」に対応する。

このような芸術観を前提として、『イタリア絵画史』第一部の残りの部分では、どのような「様式」があるのかという説明に費やされます。また「歴史」と題された第二部では、「様式」を鍵として、イタリアの絵画の流れが読み解かれていきます。それと同時に、「美術」とは何かという問題も、具体的な作品を通じてより詳細に論じられます。その内容も踏まえて、先にあげた三つの論点を順に確認していくことにしましょう。

再現と解釈

ロンギによる芸術の定義は、芸術とは世界の再現ではなく個人（芸術家）によるその解釈であるというものでした。絵を描くというと、見えたものをそっくりに再現するということを思い浮かべる人もいるかもしれません。展覧会などにいくと、細密に描きこまれた作品を前にして「本物そっくり」と感嘆の声をあげる鑑賞者を見かけることがあります。もちろん、対象を上手に再現できることがひとつの能力であることは確かですが、それが芸術の豊かさを直接的につくり出しているわけではありません。たとえば、現在であればスマートフォンのカメラ機能を使って、誰でも手軽に写真をとることができます。写真は現実を「そっくり」に写し取ったものです。しかし、そのような写真は「芸術」だといえるでしょうか？　試しに、誰か知らない人のスマートフォンに入っている写真を見たところを想像してください。その写真は撮影した人にとっては過去の思い出を切り取った大切な記録かもしれませんが、そのことをまったく知らない他人にとっては、のぞき見的な関心を満たす以外の価値はないものでしょう。芸術といえるような写真ももちろんありますが、少なくとも「本物そっくり」であることは、芸術の第一義的な価値ではありません。

ロンギはこのことを、『イタリア絵画史』の第二部で、具体的な画家に言及しながら説明しています。一五世紀初頭のフランドル地方（現在のベルギー北部周辺）で活躍したファン・エイク兄弟の作品をとりあげて、次のように述べています。

ヤン・ファン・エイク《アルノルフィーニ夫妻肖像画》ロンドン，ナショナル・ギャラリー

彼らは世界というのは何か重要なもので、再現するに値するものだと考え、絵筆の労働者ともいうべき勤勉さでもって制作を行った。このような姿勢は、賞賛にも値する。しかし、彼らは、模造品というのは常に無益なものであるということを忘れていた。たしかに、芸術というのはひとつの世界である。しかし、現実とは異なる世界であり、

自身で独立したものである。

（六五―六六ページ／九八―一〇一ページ）

フーベルトとヤンのファン・エイク兄弟は、美術史のテキストでは必ずといってよいほど紹介される画家で、油彩技法を使った写実的表現を完成させたとされています。このファン・エイク兄弟の作品を、ロンギは現実世界の「再現」であると述べています。この「再現」という表現は、『イタリア絵画史』のなかでは、一貫して否定的な意味合いで用いられています。現実世界を「再現」すること、つまりは「本物そっくり」に描き出すこと、そこに価値はありません。本物をいくら精密に再現しようとしたところで、それはどこまでいっても良くできた模造品でしかありません。そうではなく、芸術家は独自の解釈（見方）に従って、現実の世界とは別の、それ自身で独立した世界を形づくることが必要だというのです。

『イタリア絵画史』執筆の背景

ここで少し寄り道をして、『イタリア絵画史』が執筆された背景を説明しておきましょう。『イタリア絵画史』の原著（『短いけれど本当のイタリア絵画史』というタイトルです）は著者の死後、一九八〇年に出版されたものですが、もとになる原稿は一九一四年に執筆されました。この頃、イタリアの高校では「美術史」という新しい科目を導入する試みが行われていました。現在でもイタリアの多くの高校で必修科目となっている「美術史」は、日本の初等中等教育の「美術」とは違い、美術を歴史的観点から理解することを目的とした人文系の学問です。この「美術史」の導入期に、試験的なクラスをまだ若かったロンギが任されます。その際に学生のための手引きとして執筆した原稿が、『イタリア絵画史』の原型になっています。読者に語りかけるような文体は、このことを反映しています。

また、ロンギは何人かの画家には痛烈な批判を浴びせていますが、これも学生のための手引きとして書かれた文章だということを鑑みて判断するべきでしょう。すでにとりあげたファン・エイク兄弟や、この後に見るラファエロなど、ロンギが否定的に評価する画家は、いずれも当時（また現在でも）第一級とされていた画家ばかりです。そのような画家をあえて批判することで、読者として想定された若い学生にショックを与え、一般的な評価をそのまま鵜呑みにするのではなく、自身の基準をもって作品に向き合うことを教える意図があるのです。

形と内容

『イタリア絵画史』の内容に戻り、第二の論点を確認しましょう。第二の論点は、美術（造形芸術）は芸術家の視覚的な解釈（見方）によってつくられるものである、というものでした。すでに確認したように、『イタリア絵画史』の冒頭で、ロンギはことさらに文学と美術の違いを強調しています。その理由を理解するために、同書が執筆された背景を再び念頭に置く必要があるでしょう。ロンギの授業を受けることになった高校生にとって、文学はなじみのあるものでした。日本でも国語の授業でさまざまな文学作品に触れるように、イタリアの学生たちも文学を勉強します。その学生たちに対して、美術は文学とは異なる原理をもった芸術であり、それゆえに独立した学科として学ぶ必要があるということを説明する必要があったのでしょう。

それでは、美術の独自性とは何でしょうか。これもまた、ロンギは否定的な例を使って説明しています。今度はイタリアを代表する画家、ラファエロの作品が槍玉にあげられます。

ラファエロ《アテネの学堂》ローマ，ヴァチカン宮殿

〔ラファエロの〕《アテネの学堂》や《聖体の議論》は（中略）広々とした自由な空間におおわれており、なんとはなしに壮大な印象を与える。しかし、建築や空間の大きさは、哲学者、科学者、詩人、聖人といった偉大な人物たちに相応しい場所を提供するだけのものだ。（中略）ラファエロの作品は絵画ではなく、図解された文学とも呼べるものである。（中略）敬意を表するべきものであり、また賞賛してもよいが、それは単に彼の選択した理想が高貴で威厳あふ

れるものだったからである。彼が優れているのは倫理的な観点からであり、美的な観点からではない。
（一一二－一一三ページ／二〇八－二一二ページ）

ラファエロの《アテネの学堂》は高校の世界史の教科書などで見たことがある人も多いでしょう。イタリア・ルネサンス美術の最高傑作としてあげられることもある作品で、古代ギリシア・ローマで活躍した多数の哲学者・知識人が、壮大な建築空間のなかで一堂に会する場面が描かれています。ヨーロッパにおいては、古代ギリシア・ローマ時代の文化を理想として捉える伝統があります。その古代の文化を復活するという考えは、ルネサンスの時代における思想的スローガンともいうべきものでした。古代の知識人が一堂に会する場面を描いた《アテネの学堂》は、そのスローガンを視覚化した作品といえます。

《アテネの学堂》が、ルネサンスの代表作とされるのは、もちろんそれだけではありません。描かれた人物はいきいきとした表情を見せ、さまざまな仕草を使って彼らの思想を語りかけています。画面の右端では、コンパスを手にしたユークリッドが彼のもつ数学的知識を披露し、周囲の人びとはその学知に触れて驚きを顕わにしています。また画面手前やや左では、頬杖をついたヘラクレイトスが思索にふけっています。「泣く哲学者」とも綽名《あだな》されたヘラクレイトスの孤独が伝わってくるかのようです。

しかしロンギの考えに従えば、このような要素は美術としての価値とは無縁なものです。確かにラファエロは、《アテネの学堂》において個々の登場人物を巧みに描き分け、「現実の心理的本質」に迫ることができているかもしれません。しかしそのような要素は、文学の領域に属するものだというのです。画家が取り組むべきは、世界の「視覚的本質」なのです。もし美術を、文学や歴史、あるいは思想をわかりやすく解説するための「絵解き」としてとらえるのなら、それは固有の芸術の一分野とは呼べないものになってしまうでしょう。美術には美術独自の価値基準が必要になります。それが、次に見る「芸術家の見方」つまり、「様式」になります。

様式と画家の見方

ここまでの議論で、どのようなものが絵画の本質ではないかということについてのロンギの考えが明らかとなりました。それでは、ロンギの考える絵画の本質とはいったい何でしょうか。それを説明するには、「様式」について考える必要があります。

『イタリア絵画史』でたびたび使われる「様式」という言葉は、さまざまな芸術表現を説明するのに用いられます。たとえば、小説（つまり文学）を読む人であれば、好きな作家の文章に独特のリズムを感じることがあると思います。また音楽であれば、同じ作曲家の複数の作品に、共通する特徴をみつけることもできるでしょう。このような共通性は、芸術家固有の「様式」によって生み出されるものです。様式は個々の芸術家ごとに異なり、また時代や地域によっても異なります。

「様式」というと堅苦しく聞こえるかもしれませんが、これはみなさんも普段意識せずに理解しているものです。たとえば、みなさんのなかにはマンガを読む人もいるでしょう。週刊誌や月刊誌として刊行されるマンガ雑誌には多くの作品が掲載されていますが、それをパラパラとめくると、タイトルをわざわざ確認しなくても目当てのマンガはすぐに見つけられると思います。そのとき、ストーリーを確認しているのではなく、絵柄を見て判断していることがほとんどだと思います。このときみなさんがしていることは、マンガ家の絵柄についての「様式」を区別しているということです。

それでは美術における「様式」とはどのようなものでしょうか。ロンギはそれを「画家の見方」だと言っています。現実とは「果てしない混沌」であり、画家はそれを「しっかりと規定された濃密な視点」(一五ページ/一八ページ)を通じて作品に落とし込んでいくのです。『イタリア絵画史』の第一部の大半を使って、美術の長い歴史のなかでどのような「様式」、つまり「画家の見方」が存在したのか説明されます。そこでは、次の六つの代表的な様式が例としてあげられ説明されます。①線的様式、②彫塑的様式、③彫塑―線的様式、④遠近法的形態様式、⑤純色彩的様式、⑥形態・色彩の遠近法的統合様式です。

ここでは線的様式について、一四世紀の画家シモーネ・マルティーニの《受胎告知》を例に確認しておきましょう。フィレンツェのウフィツィ美術館に所蔵されている作品です。シモーネ・マルティーニの作品においては、リズミカルに動く線が画面の主要な構成要素となっています。画面の中央右側で身をよじる女性(聖母マリア)の身体はゆるやかに弧を描く曲線で構成され、まったく重みを感じさせません。風をはらんだ天使のマントはまるでそれ自体がひとつの生物であるかのように、複雑な曲線を形づくっています。画家は独自の線的な見方に従って、世界を解釈(再構成)しているのです。このような解釈こそが、画家の領分に属するものだというのです。ほかの五つの様式については、実際に『イタリア絵画史』の第一部を読んでみてください。

その後の第二部では、六つの様式を基準として、時代ごとに代表的作品が解説されてい

シモーネ・マルティーニ《受胎告知》フィレンツェ，ウフィツィ美術館

きます。もちろん、この六つだけが、様式のすべてだというわけではありません。実際にロンギ自身も第二部の後半で説明するように、一六〇〇年頃になってそれまでにない「光の様式」（一三三─一三四ページ／二六二─二六六ページ）が現れたとしています。

作品を見る

『イタリア絵画史』のなかでロンギが教えてくれることは、絵画とは画家の見方を通じて創り出された新たな世界だということです。ここでいう「見方」とは、比喩的な意味での考え方というようなものではなく、目を使って「見る」という行為そのものです。芸術とは芸術家独自の解釈によって現実とは異なる世界を創り出すものであり、そのなかでも「視覚的本質」を対象とする創作活動が美術なのです。個々の美術作品も、それぞれが固有の様式を備えたものでなければなりません。「見る」ことをもとにしてつくられた美術の豊かさを汲み出すためには、私たちもまたそれを「見る」ことによって理解しなければなりません。ロンギの著作を「芸術論」として考えた場合、それはすべての作品の価値を一般化するような議論ではありません。一つひとつの作品に向き合い、その作品ごとに固有の価値を見つけ出していくことがロンギの芸術観の根底にあります。

もちろん、『イタリア絵画史』に書かれたことが、美術史のすべてだというわけではありません。現在では「図像解釈学」など、美術作品に描かれた意味内容に注目する研究も盛んに行われています（これについては章末のブックガイドで代表的な書籍を紹介します）。ロンギがその著作の最後で印象派の画家たちやセザンヌを絶賛しているように、ロンギの考え方は二〇世紀初頭の同時代の美術の在り方に大きな影響を受けたものだともいえます。また『イタリア絵画史』を「芸術論」としてとらえた場合、その欠陥を探すのは難しくありません。たとえば、「世界を見る」ということを根底に置くロンギの考え方では、二〇世紀に登場する抽象絵画を十分な形で説明できないようにも思えます。ロンギはあくまで美術史家・批評家としての実践の人であり、決して理論家ではありませんでした。『イタリア絵画史』においても、ここで紹介した内容は全体の議論の前提とでもいえるもので、核心ともいえる部分はその後に展開される個々の作品の分析にあります。ロンギが実際にどのように作品を見ていたのか、ぜひ書籍を手に取って確認してください。

ヨーロッパの古い絵画には宗教画や神話画なども多く、描かれた物語がわからないから敬遠してしまうという人も多いようです。しかしロンギの考えに従えば、絵画で重要なのは物語的内容（宗教や神話の物語）ではなく、その物語を示すために創り上げられた視覚的世界だということになります。絵を前にしたら、その内部の視覚的世界を構成する要素、つまり色彩や線に目を向け、それがどのような原理（見方）で組み立てられているかを考えてみてください。そうすれば、さまざまな地域の美術をより自由に受け入れることができるようになるでしょう。色や形に言葉の壁や国境は存在しないのですから。

ブックガイド

『イコノロジー研究』(上・下)

エルヴィン・パノフスキー(浅野徹ほか訳) ちくま学芸文庫、二〇〇二年

原著は一九三九年の出版で、図像解釈学(イコノロジー)という手法を広めることになった著作です。図像解釈学とは、絵画や彫刻の分析を通じてその背後に潜む意味や歴史的精神を明らかにしようとする手法です。本章で紹介したロンギの考えとは異なる手法といえるでしょう。パノフスキーの論考においては、美術作品を芸術という枠組みのなかでだけ考えるのではなく、より広範な同時代の思想的潮流を兆候的に示すものとして捉えようとする姿勢が明確です。

『奇跡の人 ヘレン・ケラー自伝』

ヘレン・ケラー(小倉慶郎訳) 新潮文庫、二〇〇四年

芸術は人間の感じる力にもとづいています。ならば、感覚を失ったなら、世界を芸術的

に体験することはできないのでしょうか。一歳七カ月にして視覚と聴覚を失ったヘレン・ケラーは、サリバン先生の献身的な支援によって、芸術的体験のみならず、世界のゆたかな体験を獲得していきます。この本は、私たちの日常的経験が感覚を超えたゆたかな内容を含むこと、また、人間の感受性が世界の深層にまで達しうることを、視覚と聴覚を失ったヘレンの体験を通して、私たちに教えてくれます。

『チーズとうじ虫――一六世紀の一粉挽屋の世界像』

カルロ・ギンズブルグ（杉山光信訳）　みすず書房、二〇一二年

一六世紀、ヴェネツィア共和国のフリウリ地方で、メノッキオと呼ばれるひとりの粉挽屋が、教皇庁により告訴されます。彼は、チーズの塊からうじ虫が湧き出るように天使たちが出現し、これらの天使のうちに神も含まれる、というように、キリスト教の教えとはまったく異なる宇宙生成論を説いたために、異端審問にかけられ、焚刑に処せられました。なぜメノッキオは、このように特異な宇宙生成論を説いたのでしょうか。彼の異端審問記録などを史料に執筆された本書は、当時の民衆のゆたかな精神世界を垣間見せてくれます。

3 東アジアの歴史から
——試験地獄の狂気と豊饒

宮崎市定『科挙』

小林隆道《こばやしたかみち》
（東洋史・中国史）

富と名声のための試験地獄

富と名声を手に入れるには、どうしたらよいでしょう？

前近代中国において、その両者を得るのにもっとも手っ取り早い方法は、官僚（政治家）になることでした。ただし、一〇世紀後半から二〇世紀初頭まで、官僚になるためには原則的に「科挙」と呼ばれる試験に合格しなければなりませんでした。そのため、富と名声を求めて科挙合格をめざした競争がすさまじかったことは想像に難くないでしょう。

宮崎市定『科挙——中国の試験地獄』

（中公新書、一九六三年）は、その科挙について一九世紀後半の制度・状況を基準として生々しく描き出しており、日本の中国史研究における古典的名著といえ、現在においても学術界への影響力を国際的にもっています。

男子のみ？

科挙について、宮崎は次の文章から説明を始めています。

科挙のための競争は、少し大げさに言えば子供が生まれる前からもう始まっている。母親が使用する銅の鏡の裏にはよく「五子登科」という字が鋳こんである。これは子を五人産んで、それが揃って科挙に成功してほしいという、母親の切なる念願である。

（八ページ）

また、「胎教」として、身ごもった女性は特別に規則正しい生活態度が求められ、ひまがあれば中国古典の『詩経』を読み聞かせてもらうようにしました。そうすると才能のあるすばらしい子が生まれるといわれていたからです。

ここで重要なのは、科挙は男子しか受けられなかったということです。それは前近代中国において支配的であった儒教思想における価値観では、政治は男子が行うものとされていたからです。

そのため、先に紹介したような子への期待は、すべて男子に向けられたものでした。女子が生まれた場合はぞんざいに扱われたといいます。そのような前近代の状況をとくに否定せずに紹介している著者について、男尊女卑を現在でも積極的に認めていると感じる人も読者のなかにいるかもしれません。しかし、女性あるいは母親から「科挙」の話を説き起こすといった文章の構成自体によって、一般的には男性が主役として描かれる科挙において女性が重要な役割を果たしていたことを、宮崎は暗に語っているといえるでしょう。

長期にわたる学問修養——受験勉強はつらいよ

男子が数え年の五歳（満三歳ぐらい）になると、字の書き取りなどの家庭教育が始まり、八歳から正式な学問を始めていきます。彼らは科挙合格のために何を勉強したのでしょうか？　それは科挙でどのような問題が出題されるのかと直接的に関係します。宮崎は次のように説明します。

> 学問といっても、それは古典の勉強がほとんどすべてである。自然科学や技術に関することは労働者のやること、数学は町人がやればいい。堂々たる士大夫の学ばねばならぬことは古代の聖人の教えを書きとめた四書・五経など儒教の経典、それに中国文化の精粋である詩や文章をつくることが大切であり、科挙の試験問題も要するにこの範囲を出ない。　（一〇ページ）

科挙に合格して官僚となる者に求められた素養は、まず第一に儒教的教養を身につけていることでした。儒教経典に通じていればいるほど聖人に近いと考えられ、そのような人物が政治を担うにふさわしいとされたのです。そのため、受験勉強ではまず何よりもそれら経典の学習が行われました。基本的な経典である四書・五経の本文だけでも四〇万字以上ありますが、それらをすべて暗唱するところから学問が始まります。

一四世紀の『程氏家塾読書分年日程』という学習カリキュラムによれば、その経典本文の勉強は八歳から少しずつ学んでいき、一五歳くらいで終えます。そして、それが終われば、本文が古来より学者たちにどのように解釈されてきたのかを理解するために、経典本文の数倍に及ぶ量の注釈を勉強します。そのほか、哲学書・史書や文章・詩賦も学ぶ必要があり、それを終えるころには二〇〜二三歳くらいになっています。その後、二、三年かけて科挙に向けた本格的な受験勉強が始まり、二五歳くらいから科挙を受験し、順調にいけば三〇歳過ぎで合格、となるわけです。

科挙合格をめざすものは、八歳から始めて三〇歳を過ぎても合格するまでずっと受験勉強をしつづけなければならないのです。四〇、五〇歳代になっても合格できない場合が大多数でした。そのような長期間にわたる受験勉強をつづけるには莫大な資金が必要となりますが、それはとても個人や一家庭で用意できるような額ではありません。そのため、宗族と呼ばれる大家族単位で一族の子弟が学べる学校（義学）を設立し、一族の総力を挙げて受験勉強を支えていくようにもなっていきました。

過酷な科挙試験――受験者はつらいよ

科挙の試験は、宋代以降は地方試験（宋代では「解試」、明・清では「郷試」）・中央試験（宋代では「省試」、明・清では「会試」）・皇帝面前試験（「殿試」）の三段階でした。しかし、後の明・清時代になると、前述の科挙試を受けるための予備試験として学校試が設けられました。官立の学校に籍を置かなければ、科挙を受けられなくなったのです。その学校試も三段階の試験があり、さらに学校試と科挙試の各段階の試験の前後にも予備試験や再確認試験のようなものがどんどん増えていきました。その試験が連続する様はまさに「試験地獄」と呼ぶにふさわしいでしょう。

科挙試のなかでも、明・清時代の地方試験である「郷試」の状況を宮崎の紹介に従ってみていきましょう。「郷試」は三年に一回挙行され、その期日があらかじめ指定されています。受験生は、まず八月八日朝早くから会場に入り、九日朝早く暗いうちから試験が始まると答案作成にとりかかり、翌一〇日夕刻までに答案を提出し会場を出ます。三日二晩かかって試験を終えます。これが第一回目試験です。じつは試験はこれで終わりではなく、

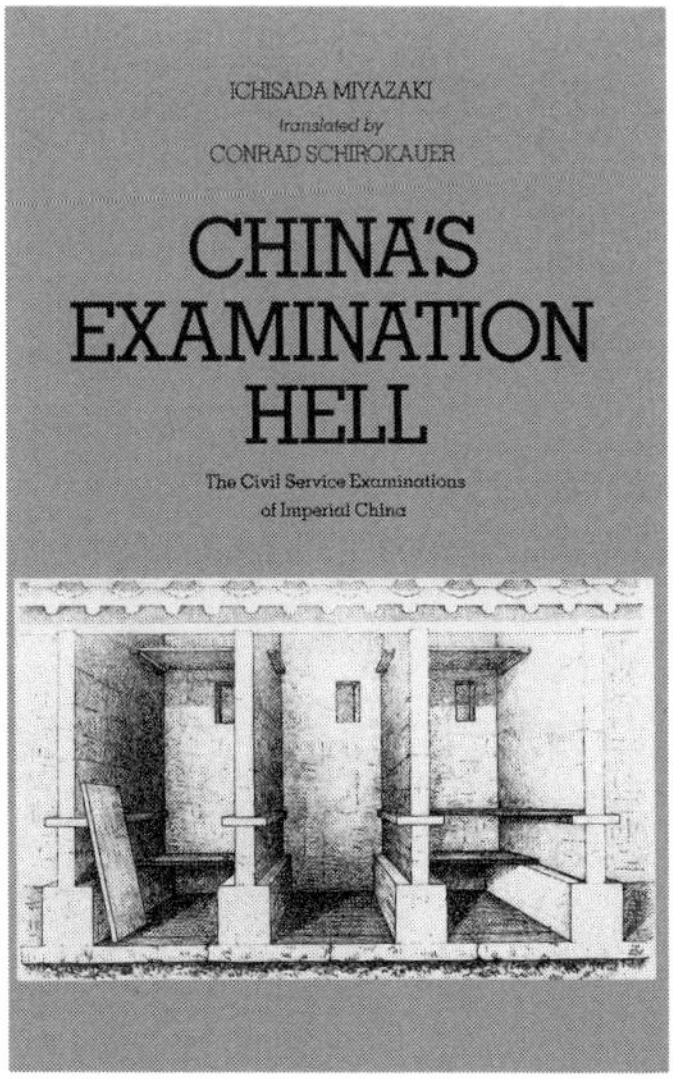

号舎（*China's Examination Hell* の書影）

このような試験が連続三回繰り返されます。第二回目試験のために一一日早朝に会場入りして試験を受け一三日夕刻に退場します。そして、一四日早朝に入場して第三回目試験を受けるのです。つまり、「郷試」は「三日二晩」が連続三セット、約一週間も続く試験なのです。

　試験会場は貢院と呼ばれ、各省の首府に常設の建物がありました。一万人、時には二万人にもおよぶ受験生を収容するために、貢院は広大な敷地を有していました。受験生は貢院のなかの「号舎」と呼ばれる小さな一人部屋に入り、そこで答案作成をします。号舎について、宮崎は次のように描写しています。

　一メートルぐらいに仕切られた小さな部屋、すなわち号舎とよばれる独房が無数に奥の方へ続いて並んでいる。号舎をいま部屋といったが、実は部屋というにあたいしない。というのは、それは戸もなく家具もなく、ただ三方を煉瓦の壁で仕切りして屋根をいただいた空間にすぎないからである。地面はもちろん土間で、ただ大きな板が三枚ある。これを壁から壁へかけわたすと、一番高いのは物置き棚になり、次のが机になり、一番低いのが腰掛けになる。そのほかは何の設備もない、正に格子戸のない牢獄である。郷試の受験生たる挙子は、ぶっ通しに三日二晩をこの中で過ごさねばならないのである。

（六〇―六一ページ）

入口に戸のない独房には、冷気をおびた夜風が短いカーテンを通して遠慮なく吹きこむ。堅い板の上にしいたせんべい蒲団では夜の寒さを防ぐに十分でない。何よりも独房が狭く、足を十分に伸ばすわけにはいかない。えびのように身をかがめてしばし一時をまどろむのである。

（六九ページ）

このような過酷な環境下で、「三日二晩」三セットの試験を受けなければならないのです。宮崎は「号舎」で答案を作成する受験生について以下のようにも描写しています。

夜になって疲れると、またせんべい蒲団をひき出して一休みすることができる。しかし、隣の独房に煌々と灯がついていると、自分ひとり遅れてはなるまいと、再びとび起きて答案用紙に向かう。疲労と興奮とが重なって、たいていの人は頭が少しおかしくなり、日頃の実力が発揮できぬものが多いが、ひどいのになると病気になったり、発狂したりする。（七二ページ）

受験生は一族からの期待という重圧を背負いながら、知力のみならず気力・体力を必要とする試験を受けなければならなかったのです。

公平性の担保――試験する側もつらいよ

受験生がこのような厳しい受験勉強および試験に耐えられるのも、科挙が公正・公平に行われる、という前提があってこそです。そのため、受験者は会場に入る前に入念な持ち物検査を受ける必要があります。それは、時には食料として持ち込まれる饅頭も割ってなかを確認することがあるほどの入念な検査でした。しかし、それでもカンニング用の豆本の持ち込みがあったり、四書・五経の文章をみっしりと書き込んだ下着を身につけてカンニングしたり、替え玉受験や試験場での代筆請負など、不正受験がなくなることはありませんでした。それだけ熾烈《しれつ》な競争だったということでしょう。

公平な採点を行うということにも相当な負担・困難がありました。採点基準をどうするかという問題もありますが、もっと基本的なところから困難が伴います。試験を行い答案用紙を集めたら、すぐに採点にとりかかる、というわけにはいきません。答案が誰のものかわかったら、恣意的に採点される可能性があるからです。そのために、まずは答案用紙に記された名前部分を隠して見えないようにします。そして、筆跡で個人を特定される可能性を排除するために、書写係がすべての答案を別の用紙に写し取ります。郷試の受験生は場所によっては一万人以上におよびますが、そのすべての答案用紙を書写係が手分けして写し取り副本をつくるのです。その副本が写し間違いがないかを今度は校正係が原本と対校します。その上で、ようやく副本をもとに採点の第一段階が始められます。ちなみに、原本は別所に保管しておき採点後に対照確認ができるようにしておきます。

また、試験場の貢院を出入りする人間がいると不正につながるため、試験官も試験開始から採点終了・合格発表まで貢院から出ることはできません。合格発表はおおよそ九月五日から二五日の間に行われましたから、試験官は試験開始から一カ月から二カ月弱の長い期間、貢院に缶詰状態になるのです。そこで試験官たちは、時に退屈しのぎに怪談を披露しあっていたりしたといいます。そのため、貢院は怪談と相性がよく、貢院内で起きた怪異現象を伝える説話も多く伝わっています。それら説話のいくつかを宮崎は紹介しています。それらは科挙の文芸方面に対する貢献ともいえるでしょう。

合格率——視点を変えて見れば……

ここまで宮崎の紹介に従いながら官僚になるための試験として科挙をみてきました。この科挙には、どのくらいの人たちが合格できたのでしょうか？　一回の科挙の最終的な合格者数は、時代により差はあるものの、だいたい三百～五百名といわれています。一方、総受験者数は、時代によって制度が異なることもあり、一概にはいえません。一〇～一三世紀の宋代に限っても、最初に受ける地方試験の受験者数について学者のなかで意見が割れています。そのなかで穏当だと思われる説が指摘する受験者数は二〇万人です。二〇万人が受験し、最終的な合格者が多く見積もって五百人だったとしても、その合格率は〇・

二五パーセントと、一パーセントを切ります。つまり、受験者の九九パーセント以上は落第するわけです。

科挙は官吏登用試験と一般的にいわれるため、どうしても合格して官僚になった者にのみ注目しがちになります。しかし、その合格率に目を向けて視点を転換するならば、科挙とは、定期的に大量の落第者をつくり出すシステムであったともいえるのです。

その圧倒的大多数の落第者をどのように扱うかは、どの王朝でも大きな問題でした。宮崎は、科挙に落第して政権に謀反を起こした人物を列挙しています。落第した際、合格できない原因は自分の実力と運が不足していたからと考えるのが一般的かもしれません。しかし、落第しつづけると、その原因を他者に求め、こんなに努力している自分を合格させない政府が悪いと考えるに至るのでしょう。謀反を起こすまでいかなくとも、先にみたように受験者が人生のほぼすべてを受験勉強に費やし過酷な試験を受けていたことを考えれば、合格できないことを恨みに思ってしまうのも理解できる気がします。

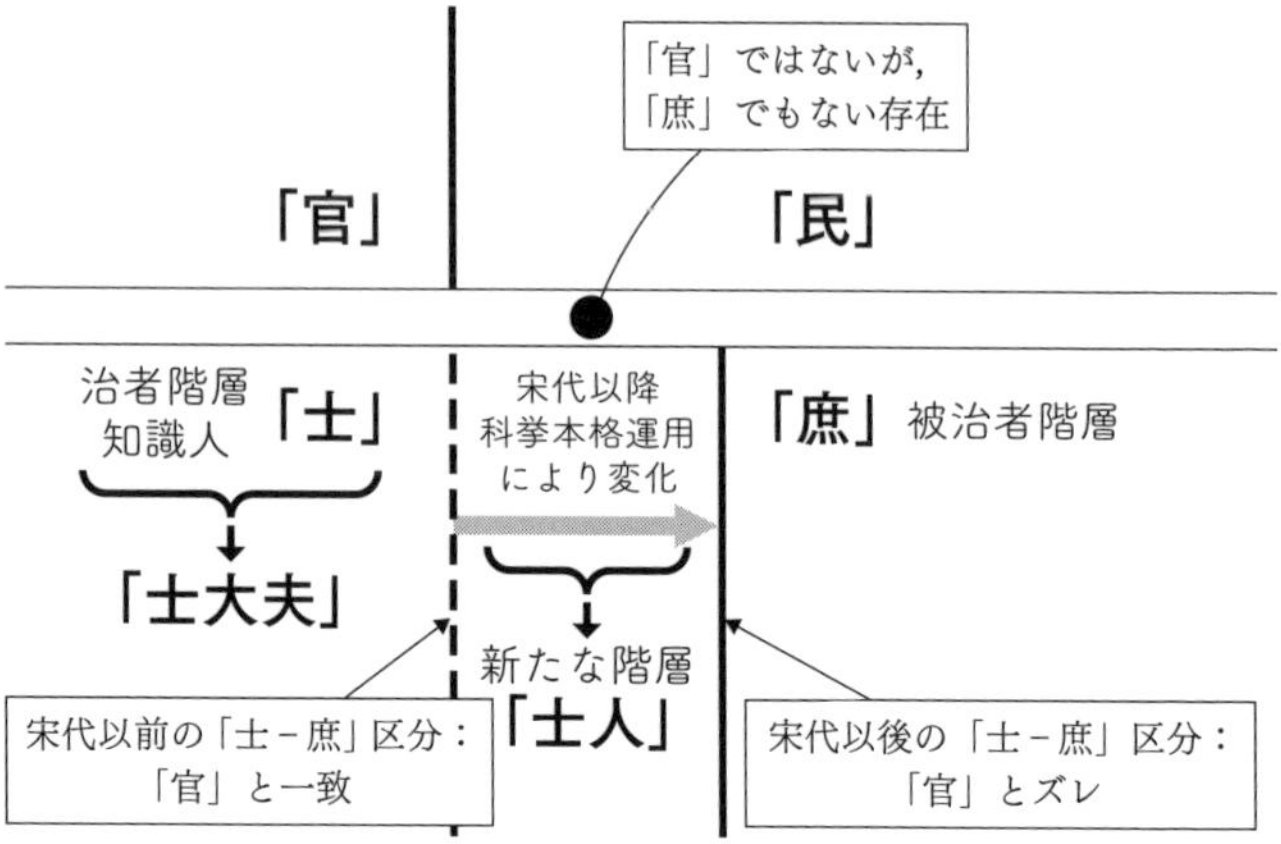

「士－庶」「官－民」概念図

「士人」層の出現と活躍
——認められた落第者

科挙が三年に一回行われるたびに大量の落第者が出たことは、中国の社会に大きな影響をおよぼしました。前近代中国の社会には、社会構成を表す二つの概念がありました。「士－庶」と「官－民」という概念です。社会は、知識人かつ治者階層である「士」と被治者階層である「庶」によって構成されていると、古来より意識されていました。また同時に、政治を担う「官」とそれに従う「民」という概念も存在していました。科挙が本格的に運用されるまでは、政治を担う知識人は家柄によって決まる所謂「貴族」で、彼らが「士」あるいは「官」に当てはまる存在であり、「士」と「官」の概念範囲は一致していました。

しかし、一〇世紀後半に宋王朝が成立して科挙が本格的に運用されると、落第者が大量に出て、その概念の間にズレが起こります。落第者は官僚になれないので「官」ではなく「民」なのは当然です。しかし、彼らは一生をかけて治者階層となるべき勉強をしてきたわけで、自分のことを「庶」ではなく「士」として認識していました。そのような「官」ではないが「庶」でもない階層が出現したのです。それを「士人」層と呼びます。科挙は、従来の硬直した社会構成に流動性を与え、新たな社会階層もつくり出したのでした。

「士人」層は確実に増えつづけていきました。そのため、政府も彼らの存在を無視することはできず、特権を与えることで体制に取り込んでいきます。科挙を受けられるだけの儒教的素養があり「士人」と認められた人は、官僚でなくとも裁判や税金の面で優遇措置を受けられるようになったのです。そこで、科挙に合格して官僚を輩出するのは無理だとしても、士人を輩出するために、各家は一族を挙げて教育に資本を投下することになります。

また、士人は官僚ではありませんので、地元に残ります。そのため、士人は地元の知識人として地域社会の活動を先導していくことになります。その活動は、慈善事業、治水事業や学術・文化事業など、広範囲にわたりました。それらの活動により、士人とその一族は地域での名望を手にすることができたのです。

科挙を本格的に運用し始めた宋王朝は、一三世紀後半にモンゴルによって滅ぼされます。その後、元朝支配下の中国では科挙は一定期間中断していました。そのときに受験勉強に苦労していた者たちはどのような思いを抱いたでしょうか？　これまでの努力を発揮する場がなくなったと落胆した者もいたでしょう。一方で、もう受験勉強をしなくてもよくなったと試験地獄からの解放を喜んだ者もいたでしょう。実際、これまで受験勉強に割いていた時間を自分の好きな学問や芸術に使えるようになり、文化活動は活発化したのです。

科挙は単なる官吏登用試験ではなく、中国の知識人階層を再生産するシステムとして機能し、一〇世紀以降の前近代中国における基本的な社会構造をつくり出していました。合格者に富と名声をもたらした試験地獄は、最高級のエリート官僚だけでなく、地域文化の担い手となった士人をも生み出しており、その考察は多面・多層的な歴史像を私たちに提示してくれるのです。

ブックガイド

『易の話――『易経』と中国人の思考』
金谷治　講談社学術文庫、二〇〇三年

『易』（あるいは『易経』）は儒学の基本経典のひとつです。神秘的な占いの書であると同時に、人生に関わる深遠な哲学の書でもあります。『易』の言葉は象徴的な内容のため、それらに固定的な意味はありません。占いをする者あるいは解釈する者の問いかけによりはじめて意味が生まれます。つまり、『易』のテキストと読者の間にこそ、森羅万象を読み解く「ゆたかさ」が存在しているといえるでしょう。本書は、その中国の古典『易』の占い方や思想を丁寧に紹介しています。

『独裁と民主政治の社会的起源――近代世界形成過程における領主と農民』（上・下）
バリントン・ムーア（宮崎隆次・森山茂徳・高橋直樹訳）　岩波文庫、二〇一九年

これまで人類は、ゆたかさと自由を求めて、理想的な国家体制を模索してきました。ゆ

たかな産業社会の到来とともに民主主義体制を導入したイギリス、フランス、アメリカ、工業化が遅れたことで強権的なファシズム体制を導入することになったドイツと日本、経済基盤がぜい弱であるがゆえに共産主義革命が可能となったロシアと中国、農業生産が停滞しながらも政治的自由の確立をめざしたインド。ゆたかさを希求した国々がたどった歴史的経路を、比較の視点から論じた名著。

『死にがいの喪失』

井上俊　筑摩書房、一九七三年

私はこれのために生きている、という「生きがい」についてはしばしば語られますが、これのためなら死ねるという「死にがい」について意識される機会は比較的少ないのでないでしょうか。しかし「死」についてかたくなに否定し排除する態度は、かえってゆたかな「生」を遠ざけてしまうこともある、と著者は述べます。過去のさまざまな事例に学び、いまあらためて「死」と「生」の関係性を問いなおすことも必要かもしれません。

4 社会学から
——「苦海」を生む近代の言葉、「浄土」へ誘う民衆の方言

石牟礼道子『苦海浄土』

景山佳代子《かげやまかよこ》
（社会学）

ゆたかな世界とゆたかでない世界

日本の四大公害病のひとつである水俣病。新日本窒素（のちのチッソ）水俣工場から不知火海《しらぬい》に流された有機水銀を原因とする中毒症状。魚や貝に蓄積された「毒」は、食物連鎖を経て、この海で生きてきた人びとの脳を侵蝕し、声も言葉も、身体の自由も、人間として死ぬ尊厳さえ奪いました。その毒は患者の肉体だけでなく、患者と患者家族のささやかな日常も破壊し、貧困と差別の泥沼にひきずりこんでいきました。

石牟礼道子氏の『苦海浄土』は、水俣病患者と家族たちが沈み落とされた「苦海」

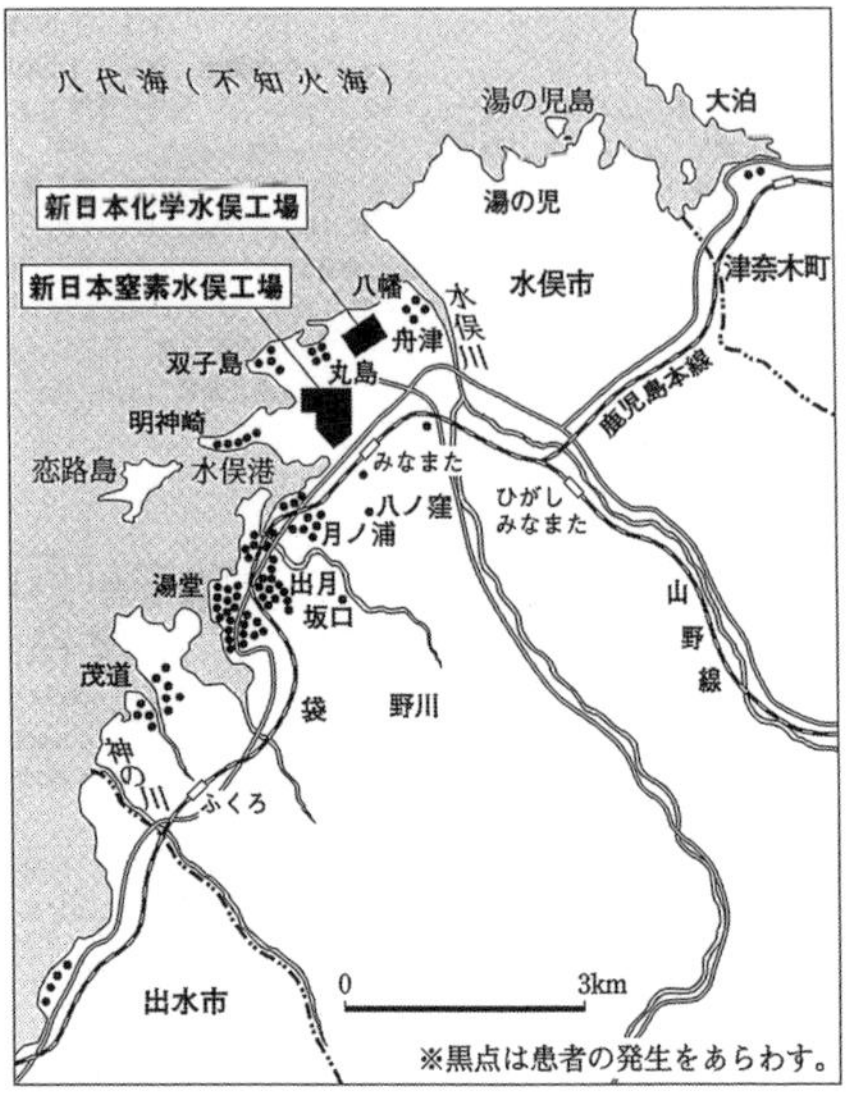

水俣病患者の発生地域（1972 年当時）
石牟礼道子『苦海浄土』講談社文庫，413 ページ

をテーマにした作品です。戦後の高度経済成長に沸きたつ日本社会——モノがあふれ、そのゆたかさに浮かれ、酔いしれる私たちが、この世に現実に生み出してしまった「地獄」が、そこには描かれています。なのに『苦海浄土』が読者を誘《いざな》うのは、残酷で陰惨な地獄ではなく、生命《いのち》が放つ、ほかに代えがたい「ゆたかさ」にあふれた世界です。

ページを繰り、『苦海浄土』の世界へ深くひきこまれていくと、この世から打ち捨てられた「非人《かんじん》」の、胸をかきむしるようなうめき声が聴こえ、まるでその場に居合わせ、その情念が身内《しんない》を占めていくような息苦しい感覚に襲われます。そしてなぜか同時に、穏やかで柔らかく、母の胎内で羊水に浮かぶような、満ち足りた空気に包まれもします。この

1962年の新日本窒素水俣工場全景（桑原史成撮影）

矛盾する二つの世界を、矛盾を解消させることでなく、生命のあるがままの姿として描き出しているところに、石牟礼氏が描く『苦海浄土』の「ゆたかさ」があるのではないか、と思うのです。それはまた、水俣に「苦海」を生み出した私たちの社会が、どのように「ゆたか」ではないのかを映し出す鏡となるかもしれません。そこで、もう少し『苦海浄土』の世界に足を踏み入れて、石牟礼氏が描く「ゆたかさ」の姿にせまってみましょう（本章では、石牟礼道子『苦海浄土　全三部』（藤原書店、二〇一六年）を参照し、以下、この本を引用する際はページ数のみを記載します）。

「心の中の声」を文字にする

有機水銀に侵された人びとの声を紡ぐこの作品は、発表当初、患者本人への「聞き書き」やルポルタージュの類だとみなされました。しかし、編集者の渡辺京二氏はある日、石牟礼氏との会話で、『苦海浄土』が聞き書きなどではないことを知ります。そのとき石牟礼氏は「だって、あの人が心の中で言っていることを文字にすると、ああなるんだもの」（『苦海浄土』講談社文庫、二〇〇四年、三七一ページ）と言ったそうです。たとえば、天草から嫁にきて、水俣病になった坂上ゆきの言葉を、石牟礼氏はこう文字にしました。

うちゃだんだん自分の体が世の中から、離れてゆきよるような気がするとばい。（中略）足も地《じだ》につけて歩きよる気のせん、宙に浮いとるごたる。心ぼそか。世の中から一人引き離されてゆきよるごたる。うちゃ寂しゅうして、どげん寂しかか、あんたにゃわかるみゃ。

（一一七ページ）

水俣病のゆきが、自分の言葉でその思いや考えを他者に伝えることは難しくなっていました。犬の遠吠えのような発声、はた目には狂女としか見えない振る舞い。ゆきが生きる水俣病の苦痛や絶望は、石牟礼氏の「心の中の声を文字にする」という表現方法で、はじめて掬い取られます。しかし、このような語りを、私たちは「事実」とは呼びません。私たちは、たとえば『苦海浄土』に挿入された次のような語りを「事実」と呼びます。

言語障碍（中略）歩行障碍、狂躁状態。（中略）顔貌は無慾状であるが、絶えず Atheotes 様 Chorea 運動を繰り返し、視野の狭窄があり、（中略）知覚障碍として触覚、痛覚の鈍麻がある。

（一〇八ページ）

診断書は、言語障碍や歩行障碍といった、患者の症状を客観的に正確に記録します。病状、処方とその後の身体反応などの記録は、病因の分析材料として重要な意味をもち、治療にあたる専門家たちには、こうした情報の共有が不可欠です。そして私たちは、このような記録を、たしかな「事実」だと認識します。

でもこの診断書には、ゆきがもっとも訴えたいことは書かれていません。それが彼女の圧倒的な「現実」である、苦痛や寂しさです。診断書の客観的な記録からは、患者がそのとき、その苦痛をどう感じ、どう生きていたかという主観的な経験は、一切脱落します。石牟礼氏の「心の中の声を文字にする」という表現方法は、客観的に観察され記述されたものにしか「事実」を認めない社会にあって、声を失い、自らの言葉を奪われた水俣病患者の、たしかにそこにある現実を掬い取る方法となっているのです。

近代的な言葉と、暴力支配

「心の中の声」を文字にすることは、石牟礼道子という天才によってはじめて成立するものです。そして同時に彼女自身が、水俣病患者たちの「心の中の声」と、同じ言葉の世界で暮らしていたことも重要な条件となります。

東京を目指して出ていった村々の選良たちは（中略）故郷の、庶民の、底辺の気持ちを知らないまま、都市市民になってしまったんだなと思って、（中略）。方言のままでは書けませんけれども、方言を新しい語り言葉として甦らせてゆけば、水俣の現実をいくらか書けるかなと思って書きはじめたのです。
日本の近代というのは、上昇志向で、（中略）エリートたちの言葉や考えが、庶民とはべつにできてしまったにちがいない。（中略）何かもっと日本の庶民の魂というか、（中略）いちばん大事な基層の部分を抱え込んでいないない近代になってしまっているなと思って。

（一一七—一一八ページ）

『苦海浄土』の魅力は、石牟礼氏が「新しい語り言葉として甦らせ」た、「庶民の魂」が宿る方言から発散されるものです。しかし彼女はこの作品に、そのゆたかな言葉だけでなく、それとは異質な、都市市民やエリートたちの言葉も織り込みました。

『苦海浄土　全三部』のうち第二部と第三部は、水俣病が社会問題として注目されている渦中の作品で、第一部よりも訴訟運動や自主交渉の様子が多く描かれます。それは患者たちが、自分たちの言葉とは異なる、エリートの言葉の世界の前に立たされることでもありました。チッソと交渉をしていた水俣病患者家庭互助会の山本亦由会長は言います。

「どうもなあ、会社の幹部たちと話すときは、儂どま、言葉ももたもた、漁師言葉し

か使いきらんしなあ。あっちは東大出ばっかりで、言葉も近代的ですし。位負けするちゅうか。（後略）」（五六六ページ）

山本会長は、自分のもたもたした漁師言葉を、「東大出」のチッソ会社幹部が話す近代的な言葉に、「位負けする」と感じます。水俣の漁師や患者を気後れさせる、チッソ幹部たちの近代的な言葉とは、この国ではじめての塩化ビニール樹脂の工業化を成功させ、日本の化学工業を発展させた言葉です。それはCH_3CHOやCH_3ClHgを生成し、経済的に非常に効率的な処理方法として、不知火海にその毒を垂れ流させた言葉でもあります。より早く、より多く、より高く。生産効率性や経済合理性を追求する化学式や計算式に、生命や魂といった測定不可能な変数は入りません。「東大出」の言葉は、そうやって日本の科学技術を発展させ、そこに内包される上昇志向や合理性といった価値観は、望ましいものとして私たちの社会に広く浸透しています。

石牟礼氏は、日本近代において進歩した「科学文明」の、「合法的な野蛮世界へ逆行する暴力支配」（三二五ページ）という姿をとらえます。そしてその暴力性を、『苦海浄土』のなかの、庶民の魂から発せられる方言の世界に織り込むことで展示していくのです。

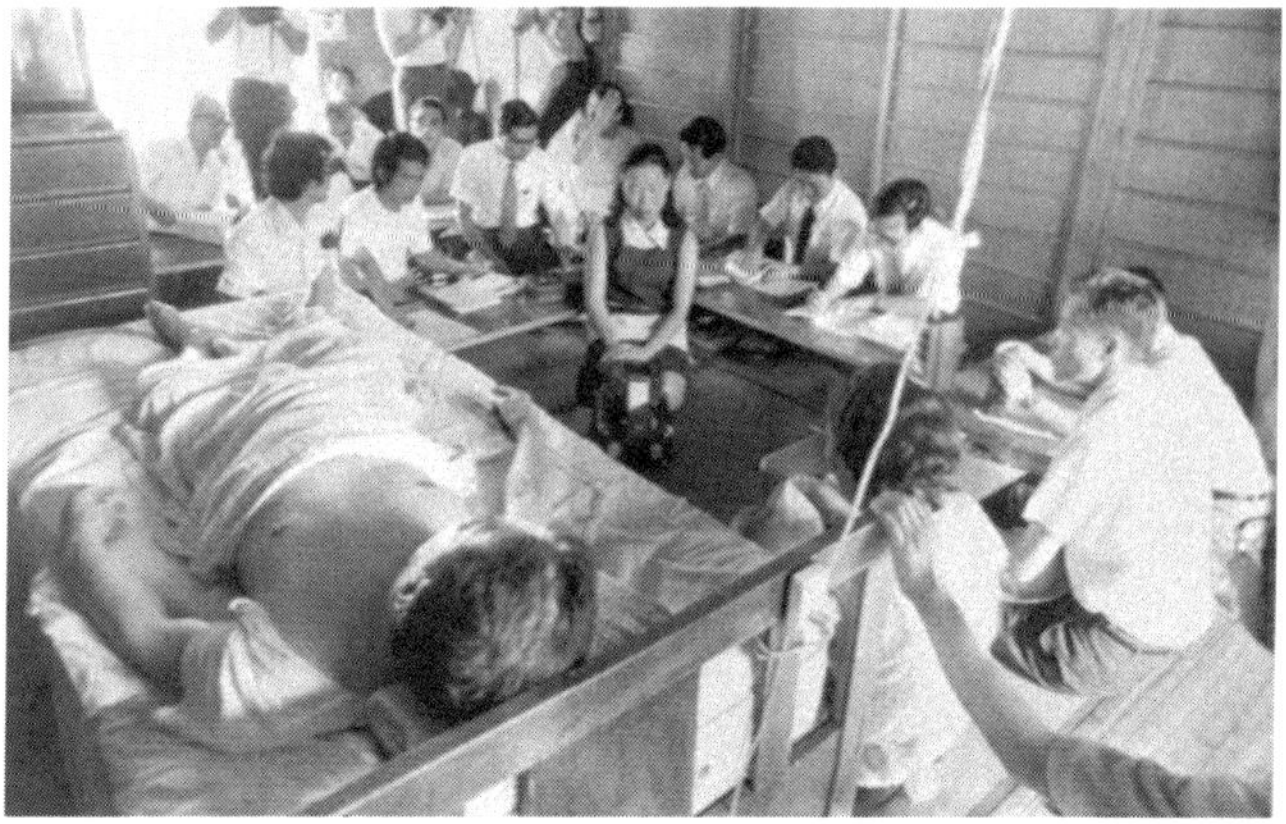

水俣病患者の本人尋問　写真提供：共同通信社

一九六八年、水俣病事件の深淵

政府が水俣病を公害病認定し、チッソが患者に謝罪した一九六八年。新聞の論調はこの事件のしめくくりに入り、患者も水俣病解決の扉が開いたと思ったそのときを、石牟礼氏は「水俣病事件の最後の深淵がゆっくりと口をひらくのはこれからである」（二五九ページ）と語ります。それは、このときから水俣病患者たちに、「東大出」の「近代的な言葉」からの暴力支配が、より直接的にのしかかってきたことを意味します。

謝罪したチッソは、その補償について「モデルケースになるから公正な基準を政府にお願い」したと、患者との直接交渉には応じませんでした（三四九ページ）。そして公害認定から半年。補償問題の解決案として、国が患者に提示したのは、確約書という名の白紙委任状でした。

厚生省に、水俣病にかかる紛争処理をお願いするに当りましては、（中略）委員の人選についてはご一任し、（中略）委員が出して下さる結論には異議なく従うことを確約します。（四四二ページ）

補償問題の解決にあたる委員は誰か、どんな結論が出るかもわからないのに、それに「異議なく従う」と約束させる確約書が国から示されました。これに印鑑を押せない患者たちは、チッソとの直接交渉を申し入れます。それに対しチッソは、「公害補償の基準がないため」これまで患者互助会との交渉が具体的に進展しなかったこと、その解決策として出された「第三者機関設置という政府提案」に異議がないことを述べ、だから互助会からの直接交渉の要求には「御回答致しかねます」という回答書を出しました（四五一ページ）。こうして患者たちは、補償交渉の方法をめぐり、政府に一任する一任派と、訴訟手続きに入る訴訟派へと分断されていきました。

さらに補償金額を算定する「公正な基準」によって、「水俣病に最も権威ある医師」が水俣病患者たちを、水俣病であるかどうか「試験」するのです。「針で刺される試験ばい。なあ、どいしこ（どれだけ）刺されても、痛かちゅうては試験に通らん」（七三九ページ）、「奇病になるには（認定されることの意）、やかましゅうて難《むつ》かしかばい」（七四二ページ）。有機水銀に侵された苦しみをわからない「偉か先生」たちが、科学的で客観的な基準で、患者を重症／軽症と査定し、それによって補償額が決められます。患者が異を唱えても、「これ以上正確で権威ある診断はないと確信する」という文言によって却下されました（七四一ページ）。

一九七〇年五月、補償処理委員会の前の、訴訟派患者家族と厚生政務次官の会見記を、石牟礼氏は朝日新聞から抄出しています。

橋本龍太郎厚生政務次官（32）

「政府が人命を大事にしなかったことがあるか。いまのことばを取り消してもらおう」

政務次官は「患者の言葉じりをつかまえては大声で逆につめ寄り、ある患者は口を閉ざし、婦人は泣き出してしまった」（三四七ページ）

水俣から東京に出て、助けを求めた「国の人」が、犠牲者である水俣病患者たちを叱りつけたことは、水俣でもすぐに知れ渡ります。

「（前略）会社の衆やら、「国の人たち」ちゅうとは、何の学問ばしなはったか、東大で。魂のちがうねえ、奇病《ん》もんとは」

「国の人たちとくらべれば、おっどん方が、当たり前に近か人間のごたる」（四二八ページ）

水俣病患者たちの言葉と織り合わされることで、「東大出」の近代的な言葉がもつ暴力性が露わにされます。ある患者は言います。「おとろしかところじゃったばい、国ちゅうところは。どこに行けば、俺家《おるげ》の国のあるじゃろか」（四二九ページ）。

いのちの値段

補償金額公表後の一九七〇年五月二八日、朝日新聞に、千種達夫補償処理委員会座長が出席する座談会記事が掲載されます。「今日の生命の価値は最低一千万円が常識」「補償金が低すぎる」と批判された千種氏は「十数年前の事件に、なぜいまの基準をあてはめねばならないか」「水俣は、東京とは貨幣価値が違う。（中略）年金で十七万円というのは（中略）、多すぎるという気もするほどだが」と反論します（三四八―三四九ページ）。

「国の人」である千種氏は、十数年前の経済水準や水俣の物価を基準に、患者への補償金を算出しました。では彼が査定した「いのち」の苦しみはどのようなものでしょうか。

水俣病で亡くなり、病理解剖された六歳の娘・和子の遺体を、自身も水俣病患者である江郷下マスが、自宅まで連れ帰った場面をみてみましょう。

「あのですなあ、白か繃帯で、頭の先から足の先まで、ぐるぐる巻きにしてありましたですもん。（中略）運転手さんの、えらい気持の悪しゃしとらしたです。（中略）

水俣駅の先の、踏切りの、あんまり人の通らんところで、下してもらいまして、和子ばそろっと線路の脇に寝せてな、帯ばほどきまして、背負いましたです。

（中略）解剖ちゅうは、どこば切るとでしょうかなあ、足のちゃあえて、線路の上に落ちゃあせんじゃろか、腹ば横切りしてあっとじゃなかろか、手ぇも、ひっちゃえはせんじゃろかちなあ、心配で。首の落ちればどげんしゅうちおもって。

繃帯でぐるぐる巻きして、目ぇと、唇しか出とりませんとですもん。血ぃちゅうか、汁ちゅうか、滲んどるとですもん、我が子の汁のですな。まあ、わたしが生んだ子ぉじゃが、わたしの汁じゃがち思うて、涙も出たやら覚えませんと。

線路の上じゃけん、（中略）この上、汽車にでも轢かれたなら、あんまりじゃ、そげん思うとりました。（後略）」


（五三一—五三二ページ）


「公正な基準」を設定し、いのちの金額を算出する「会社の衆」や「国の人たち」は、手足や首が落ちる心配をしながら、娘の遺体をおぶる母の地獄を、どう査定したのでしょう。患者と家族の数だけ存在する、それぞれの地獄をどうランク付けしたのでしょう。

水俣病患者たちの「心の中の声」によって、私たちは「会社の衆」や「国の人たち」の数値化や序列化の世界が、いかに欠陥が多く暴力的であるかに気づかされます。そして同時に、それがどれほど広く、深く私たちの日常生活を侵蝕しているかも知らされます。

和子が死にましたときは、部落のひとたちの、ほんとに、あんた家は羨ましかよといいよんなはりました。

「あんたは多子《うご》持ってよかったばい。子宝ばい。百万も銭の来て。一家四人も奇病出して会社から多銭《うぜに》の来て、（中略）会社ゆきより上の殿さんになったぞ」

と、いいよんなはりました。（中略）のしあがったもんじゃ、銭貸さんかいと、いわれよりました。

（六九二ページ）

「国の人」も「おとろしい」が、水俣病患者たちが生きる「この世」を、行き場のない本当の「苦海」にしたのは、彼らと同じ共同体に生きていた水俣の人びとだったかもしれません。水俣はチッソによって発展し、その経済成長は、水俣市民の生活の向上を意味していました。そんな彼らにとって水俣病患者は、チッソの「犠牲者」となった同じ共同体の仲間ではなく、チッソから自分たちのアガリをかすめ取る、共同体内の厄介者でした。

しかし「銭」のため、誰かを苦海に落とすのは、水俣病に限った話ではありません。いまでもその悲劇は、原発事故の福島や、基地建設の沖縄など、日本の各地で繰り返され、深く、暗い苦海がますます広がっています。一時金を受け取った患者、淵上マサエは石牟礼氏に、死の床でこう言います。「もう、家も要らん、銭も要らん、なあんも、要らんところにゆくとばい」（九八六ページ）。

「祈り」の言葉

『苦海浄土』は、庶民の魂の言葉と、エリートの言葉とを織り合わすことで、近代日本が追い求めた「ゆたかさ」の実相を浮かびあがらせています。「会社の衆」や「国の人」のエリートの言葉は、迅速で正確な情報処理を優先することで、効率的な経済発展を実現させせました。私たちは、彼らのような「勝ち組」になれば、「ゆたか」になれると信じて、受験や就活で、エリートの言葉の習熟度を競っています。でもその言葉が広がるほど、いのちの絶対性や声の個別性は無視され、人間は数字や情報のように、単純で同質的な塊（「日本人」や「男／女」など）として扱われるようになりました。そしてエリートの言葉がつくる、この残酷な「ゆたかさ」のひとつの帰結が、水俣病という「苦海」だったのです。

では『苦海浄土』の「浄土」の姿はどうでしょう。「浄土」を思わせる情景は、石牟礼氏が「新しい語り言葉として甦らせ」た、水俣の方言によってのみ描かれます。老いた漁師が胎児性水俣病の孫のために聞かせる寝物語。かつて夫婦舟の櫓《ろ》を漕ぎ、波をなだめていた患者の「心の中の不知火海」。「のたうち這いずり回る幾万夜」を重ね、「チッソの人の心も救われん限り、我々も救われん」という「悟り」の言葉。水俣病の娘をもつ母が、口さがない近所の住人にむけた「あの衆《し》たちも、みいんな水俣病になってしまや、よかろうばい」という「呪詛」の言葉。石牟礼氏は、まるで仏師が仏を彫るように、水俣病という苦海に沈められた一人ひとりの「魂」の声を、「浄土」に描きなおすように、文字にします。

魂たちのいるところになんとかいざり寄るべく、かかわりうるかぎりの人間関係の核の中に、わたくしはしどろもどろの秘かな志を織り込み埋め込み、護摩を焚くかわりに、ことばを焚いてきた。

ことばが立ち昇らなくなると、自分を焚いた。

（『石牟礼道子全集第三巻』藤原書店、二〇〇四年、四二一ページ）

現実と思えない凄惨で残酷な地獄を生きた患者と家族たちは、彼らを中傷し差別する人間たちとの関係のなかで、わきあがる怒りや怨み、激しい憎悪や絶望と闘っていました。水俣病患者の杉本栄子さんは、涙をふきこぼし、ふるえながら「人を憎めば我が身はさらに地獄ぞ」と語りました。

石牟礼氏が文字にした、水俣病患者たちの「心の中の声」は、近代日本の残酷な「ゆたかさ」が切り捨ててきた、人びとの「痛み」ではないでしょうか。私たちは誰かの「痛み」を、本当には共有することはできません。ただ想像し、思いを寄せ、その痛苦が和らぐよう祈ることが精いっぱいです。だからこそ石牟礼氏は「護摩を焚くかわりに、ことばを焚いて」、生者の怨念や死者の無念を、浄土へ運ぼうとしたのかもしれません。それは生産性や効率性とは無縁の言葉です。でももしあなたのために誰かが、そして誰かのためにあなたが、そんな言葉を立ち昇らせるなら、その言葉に充ちる社会は、『苦海浄土』のような、「ゆたかな」世界になると思いませんか。

ブックガイド

『吉野弘詩集』

吉野弘　ハルキ文庫、一九九九年

自分が生きる世界を「ゆたか」にすることは、それほど難しくないのかもしれません。吉野弘さんの詩にふれるとそんなふうに思えます。詩人の手により、なんてことのない言葉に、新しい生命が吹き込まれ、それまで見ていた景色は一変します。私たちは、自分が生まれるずっと前から存在する言葉を使うしかありませんが、同時にその言葉を「ゆたか」に育てることもできるのです。「青空を仰いでごらん。／青が争っている。／あのひしめきが／静かさというもの。」詩が、言葉を育て、世界を「ゆたか」に拓いていきます。

『マイケル・ムーアの世界侵略のススメ』（映画）

マイケル・ムーア　二〇一五年

映画監督マイケル・ムーアが、世界一の経済力と軍事力を誇るアメリカ合衆国のさまざまな問題を解決するために、世界各国の素晴らしいアイデアを盗み「侵略する」という設定の映画。作品中で「ゆたか」な社会を実現している国々が紹介されます。たとえば宿題を廃止したフィンランド。「学校って幸せになる方法を見つける場所じゃない？」人間が「ゆたか」に生きるヒントが満載です。

『豊かさとは何か』
暉峻淑子　岩波新書、一九八九年

　本書では、お金持ちになることだけがゆたかさではないと説かれます。しかし本書が書かれたのは、経済成長への期待がさらなるモノへの欲望をかき立てていた一九八〇年代の後半。どれほどの人が共感をもってこの本を手に取ったかは疑問です。二〇二〇年代に突入したいま、私たちは反対に経済成長なき未来をまじめに考えなければならなくなりました。しかしそんな時代だからこそ、著者が描き出すゆたかな社会の風景は、私たちが希望に満ちた未来を創造していく展望を与えてくれるでしょう。

『すばらしい新世界』
オルダス・ハクスリー　光文社古典新訳文庫、二〇一三年

　二六世紀の世界を描いた小説。現代ＳＦの古典ともされます。子どもは人工子宮により計画的に「生産」され、人びとは恒久的な平和と科学技術の進歩によってもたらされた物質的なゆたかさを享受しています。新種のスポーツなどの娯楽はもちろん、フリーセックスや麻薬までもが奨励される快楽追求をよしとする世界。そうした社会で人は幸せなのでしょうか？　現代日本にも通じるさまざまな問題（たとえば、社会の階級化）を考える手掛かりにもなる小説です。

執筆者紹介

栗山圭子（くりやま　けいこ）
奥付の編者紹介を参照

石川康宏（いしかわ　やすひろ）
神戸女学院大学文学部総合文化学科教授
専門は経済学
ゆたかさを感じる時間は，家族が寝静まった夜，当面の原稿と無関係な本を読んでいる時間

藏中さやか（くらなか　さやか）
神戸女学院大学文学部総合文化学科教授
専門は日本古典文学
ゆたかさを感じる時間は，愛犬との散歩途上，陽だまりのベンチで思索にふけるとき

伊藤拓真（いとう　たくま）
神戸女学院大学文学部総合文化学科准教授
専門は美術史学
ゆたかさを感じる時間は，美術館を訪れるとき

小林隆道（こばやし　たかみち）
神戸女学院大学文学部総合文化学科准教授
専門は東洋史・中国史
ゆたかさを感じる時間は，それほどありませんが，気にしないので大丈夫です

景山佳代子（かげやま　かよこ）
神戸女学院大学文学部総合文化学科准教授
専門は社会学
ゆたかさを感じる時間は，気持ちいい青空を見ながらお昼寝するとき

ブックガイド：笹尾佳代（日本近現代文学）／大澤香（キリスト教学）／桐生裕子（西洋史）／川瀬雅也（哲学・倫理学）／北川将之（国際関係論）／清水学（社会学・文化理論）／河島真（日本近現代史）／渡部充（英国文化・文学）

編者紹介

栗山圭子（くりやま　けいこ）
神戸大学大学院文化学研究科（博士）
神戸女学院大学文学部総合文化学科准教授
専門は日本古代中世史
ゆたかさを感じる時間は，二月のひとりの午後
主な著作に『中世王家の成立と院政』（吉川弘文館，2012 年），『藤原道長を創った女たち——〈望月の世〉を読み直す』（共著，明石書店，2020 年）など

〈神戸女学院大学総文教育叢書〉
日常を拓く知　古典を読む 4
ゆたかさ

2020 年 8 月 20 日　第 1 刷発行

定価はカバーに
表示しています

監　修　神戸女学院大学
文学部総合文化学科

編　者　栗　山　圭　子

発行者　上　原　寿　明

世界思想社

京都市左京区岩倉南桑原町 56　〒 606-0031
電話 075(721)6500
振替 01000-6-2908
http://sekaishisosha.jp/

（印刷・製本 太洋社）

ISBN978-4-7907-1745-4